*Bom dia,
Espírito Santo*

Pe. HÉLCIO VICENTE TESTA, C.Ss.R.

# Bom dia, Espírito Santo

## Orações da Manhã

EDITORA
SANTUÁRIO

Direção Geral: Pe. Luís Rodrigues Batista, C.Ss.R.
Direção Editorial: Pe. Flávio Cavalca de Castro, C.Ss.R.
Pe. Carlos Eduardo Catalfo, C.Ss.R.
Coordenação Editorial: Elizabeth dos Santos Reis
Coordenação de Revisão: Maria Isabel de Araújo
Revisão: Ana Lúcia de Castro Leite
Diagramação: Paulo Roberto de Castro Nogueira
Capa: Tiago Mariano da Conceição

**Dados Internacionais de Catalogação na Publicação (CIP)**
**(Câmara Brasileira do Livro, SP, Brasil)**

Testa, Hélcio Vicente
  Bom dia, Espírito Santo: orações da manhã / Hélcio Vicente Testa; fotos Fl. Castro. — Aparecida, SP: Editora Santuário, 2000. — (Coleção Oração e Vida; 1)

  ISBN 85-7200-636-2

  1. Espírito Santo 2. Espiritualidade 3. Meditações 4. Orações 5. Vida cristã I. Castro, Flávio Cavalca de, 1933 - II. Título. III. Série.

99-4960 CDD-242.2

**Índices para catálogo sistemático:**
1. Orações da manhã: cristianismo 242.2

28ª impressão

Todos os direitos reservados à **EDITORA SANTUÁRIO** – 2024

Rua Pe. Claro Monteiro, 342 – 12570-045 – Aparecida-SP
Tel: 12 3104-2000 – Televendas: 0800 - 016 00 04
www.editorasantuario.com.br
vendas@editorasantuario.com.br

*Aos meus pais,
Raul e Dimerci,*

*"Deus é nosso refúgio e fortaleza,
socorro bem presente no dia da angústia.
Pelo que não temeremos, ainda que a terra se mude,
e ainda que os montes se transportem para o meio dos mares,
ainda que as águas rujam e se perturbem,
ainda que os montes se abalem pela sua braveza.
Há um rio cujas correntes alegram a cidade de Deus,
o santuário das moradas do Altíssimo.
Deus está no meio dela, e não será abalada;
Deus a ajudará ao romper da manhã!"*

(Sl 46,1-6)

# 1

*B*OM DIA, ESPÍRITO SANTO,
nosso criador.
Que vossa força criadora me ajude a ser sinal de vida para todos os que eu encontrar neste dia. Ajudai-me a ser vida em abundância e presença vossa.
Quero contemplar as maravilhas criadas por Deus e louvar o dom maior que é a vida.
Assim como vos movíeis sobre o caos no início da criação, que eu esteja aberto para a vossa ação em favor da minha vida. Pairai sobre meu dia e não me deixeis cair no caos de não perceber a vossa presença criadora.

Vinde, Espírito de Criação.

*"Pois foi ele que criou todas as coisas"*
(Jr 10,16)

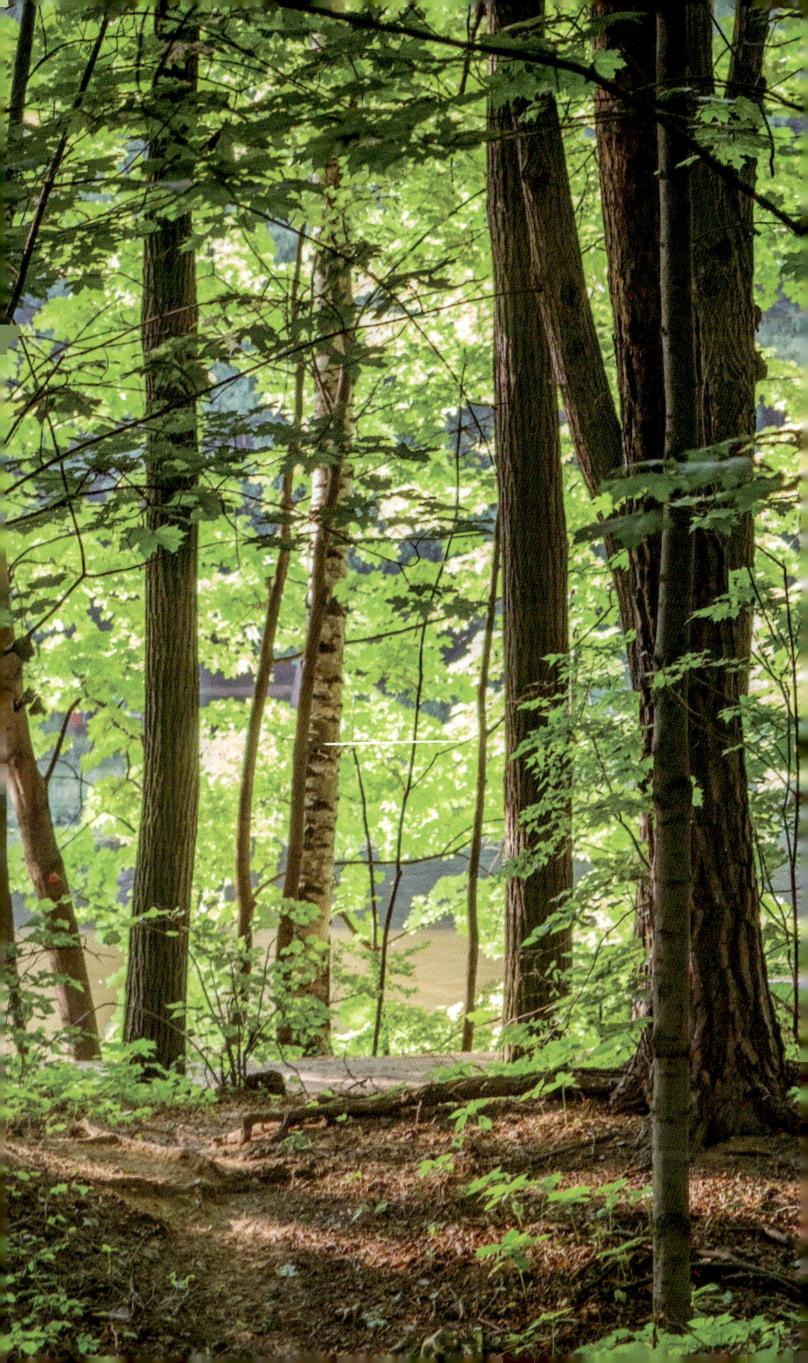

# 2

*B*OM DIA, ESPÍRITO SANTO,
fonte de santidade.
Quero santificar o meu dia e
consagrar-vos meus afazeres.
Que tudo o que eu faça hoje seja
para a glória de Deus e para a minha
santificação. Auxiliai-me na busca
da perfeição e da aproximação de vós.
O vosso Espírito mova o meu coração
para só pensar o que constrói; afastai
de mim todas as malícias e tentações,
para que eu possa mais fielmente ser
templo vosso e assim alcançar a graça
da santidade.

Vinde, Espírito de Santidade.

*"Adorai ao Senhor na beleza da sua santidade"* (1Cr 16,29)

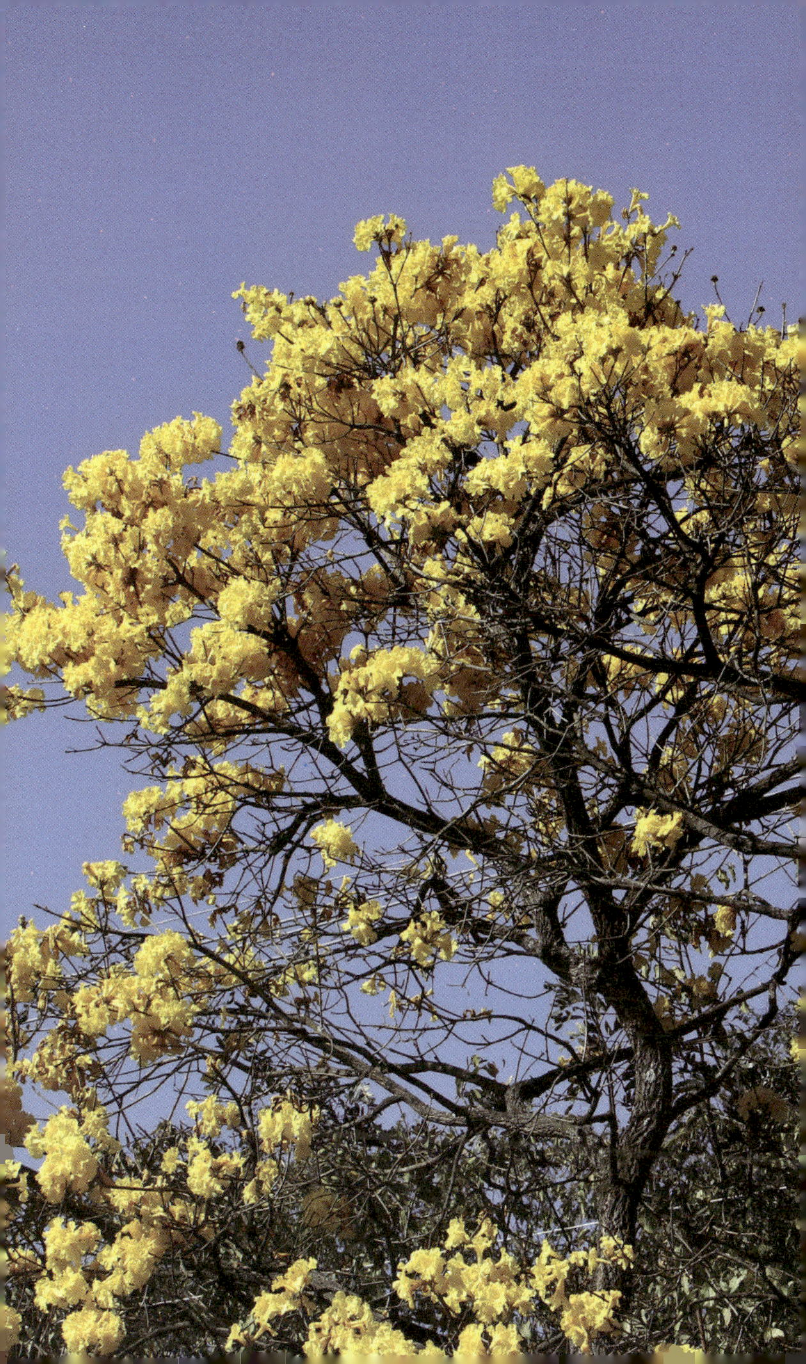

# 3

*B*om dia, Espírito Santo,
conforto dos sofredores.
Afastai do meu dia todos os sofrimentos
e angústias. Que eu possa superar tudo
o que de mal me acontecer contando
com a vossa graça e com a vossa
proteção. Que não abata sobre mim o
desespero mas sim a força de superar
barreiras que me vêm de vós.
Que todas as formas de sofrimento se
afastem do meu dia e que eu possa
perceber a vossa ação consoladora a
me amparar. Que possa também ser
amparo para todos aqueles que sofrem
injustiça e que estão desesperados e
desamparados.

Vinde, Espírito Consolador.

*"Se me amais, observareis os meus mandamentos; e eu rogarei ao Pai e ele vos dará outro Consolador, para que fique eternamente convosco"* (Jo 14,15-16)

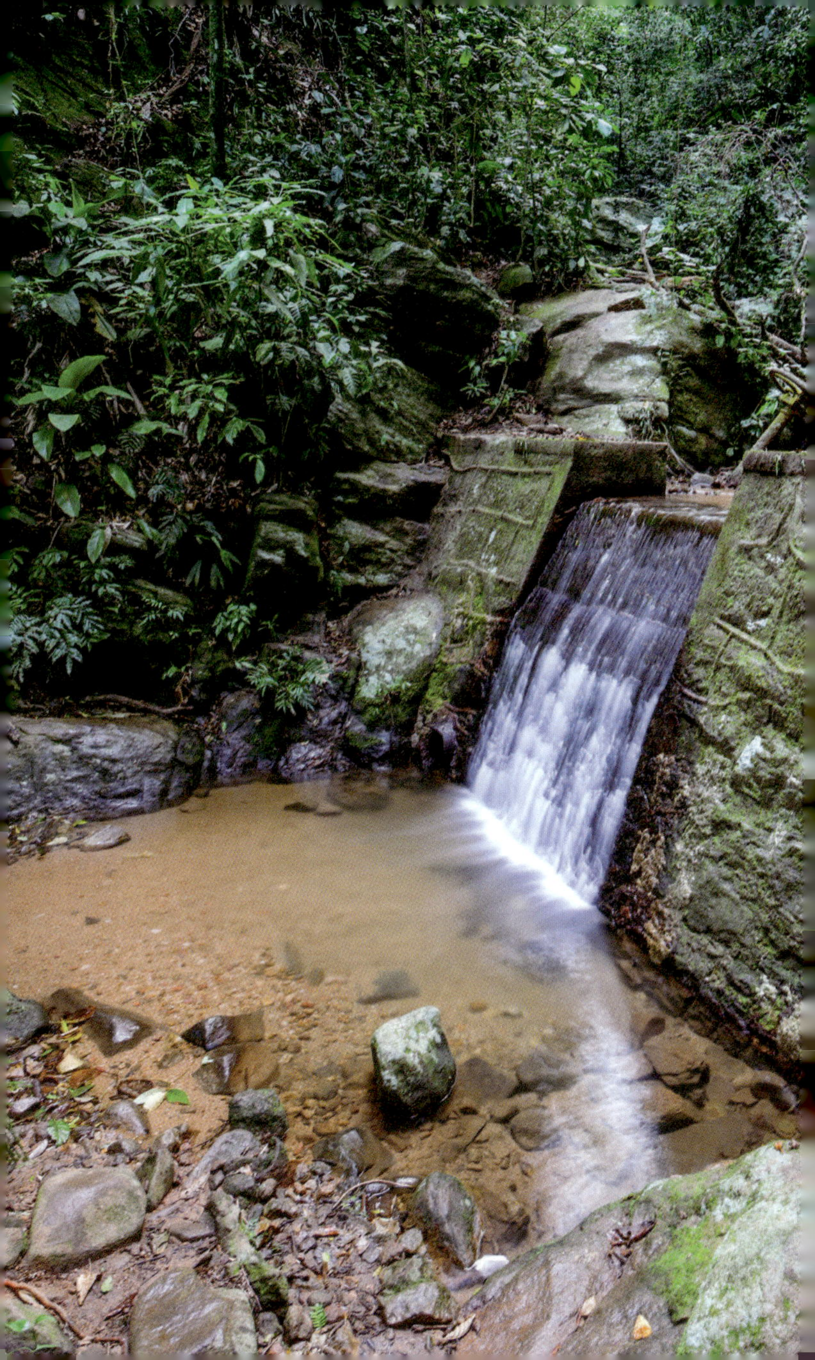

# 4

**Bom dia, Espírito Santo,**
fidelidade dos que vos buscam.
Que eu exercite neste dia o dom da
fidelidade. Que eu consiga ser fiel a
todos o meus compromissos e a todos
os meus deveres, e que tenha sempre
diante de mim a vossa fiel proteção.
Assim como vosso amor nunca nos
abandona, que eu possa amar a todos
com a mesma fidelidade e que possa
perceber as maravilhas de ser
comprometido com esse amor. Louvado
sejais, Senhor, pela fidelidade a vosso
povo e pelo vosso fiel amor por mim.

Vinde, Espírito de Fidelidade.

*"Porque o Senhor é bom... e sua fidelidade estende-se de geração a geração"* (Sl 100,5)

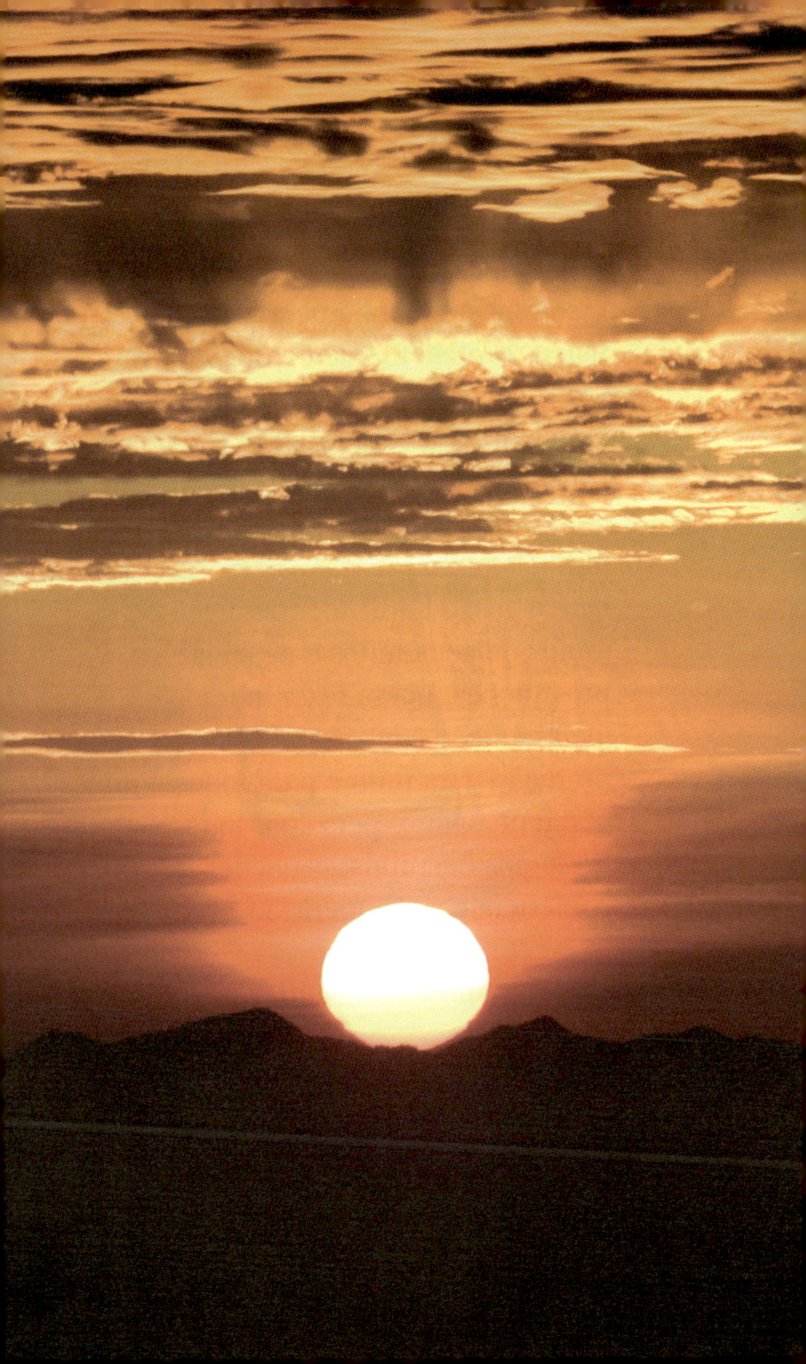

# 5

*B*OM DIA, ESPÍRITO SANTO,
saúde dos enfermos.
Quero nesta manhã pedir a saúde
física. Protegei o meu corpo contra
todos os perigos e contra todos os
males que possam torná-lo frágil.
Dai-me coragem para afastar-me
de tudo o que possa prejudicar
minha saúde.
Que o vosso Espírito, que levantou a
tantos de seus leitos e de suas
prostrações, possa fazer morada em
meu coração e me curar, trazer saúde e
proteção para mim e para todos aqueles
que amo. Quero pedir por todos os que
estão nos hospitais; concedei-lhes a
paciência e a recuperação.

Vinde, Espírito de Saúde.

*"Ele tomou sobre si as nossas enfermidades,
e levou as nossas doenças"* (Mt 8,17)

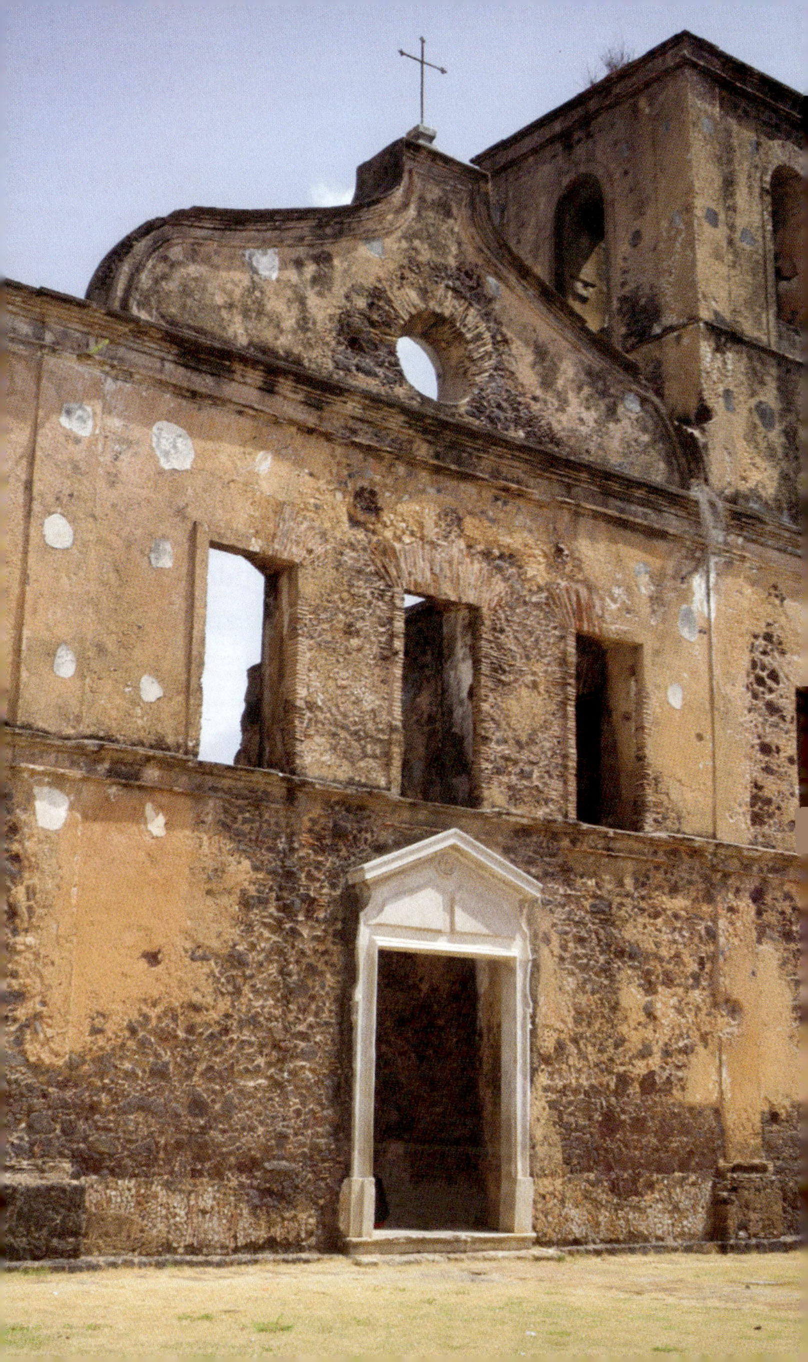

## 6

**B**OM DIA, ESPÍRITO SANTO,
mestre da paz.
Os conflitos povoam nosso mundo e
nossa mente; ajudai-me a ser semente
de paz num mundo em discórdia. Que
a paz que nos vem de vós seja vivida
e aplicada no meu dia.
Peço pelos povos em guerra, pelos
conflitos, pela paz no mundo. Trazei,
Senhor, a paz nos lares; rezo em
especial pela paz dos meus familiares e
para que eu possa sentir a vossa paz no
meu coração. Louvados sejam aqueles
que promovem a paz; que eu possa me
transformar em instrumento
da vossa paz.

Vinde, Espírito de Paz.

*"Deixo-vos a paz, a minha paz vos dou"*
(Jo 14,27)

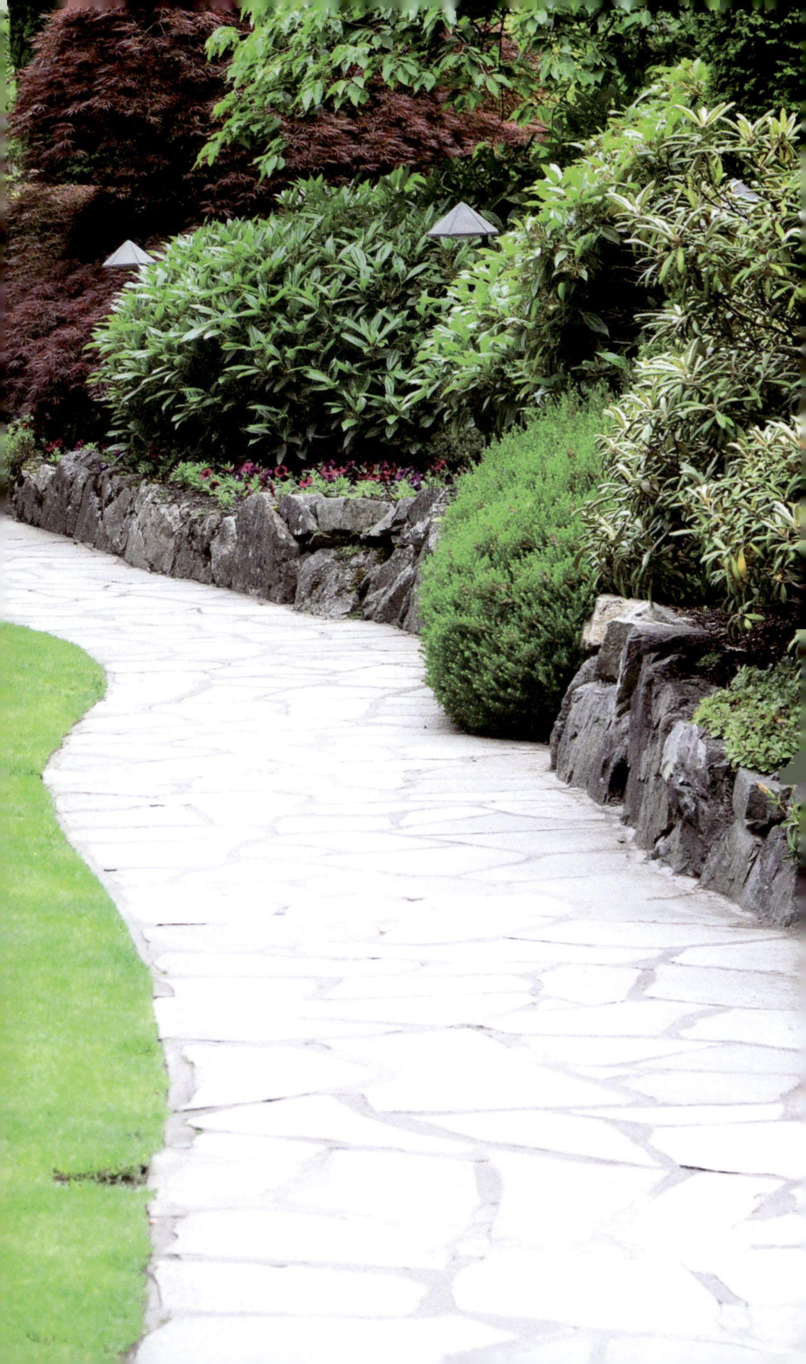

# 7

Bom dia, Espírito Santo,
refúgio dos pecadores.
Tenho consciência das minhas falhas e dos meus erros; muitas vezes me afasto de vós através do pecado. Tenho me afastado de meus irmãos e irmãs e tenho até deixado que sentimentos de rancor e mágoas povoem o meu ser. Quero passar este dia sentindo vossa força de perdão e buscando ser perdão para aqueles que me cercam. Que eu possa experimentar a graça do perdão em sua plenitude, e saber o quanto é bom viver sendo perdão para os outros.

Vinde, Espírito de Perdão.

*"Ao Senhor nosso Deus, pertence a misericórdia e o perdão"* (Dn 9,9)

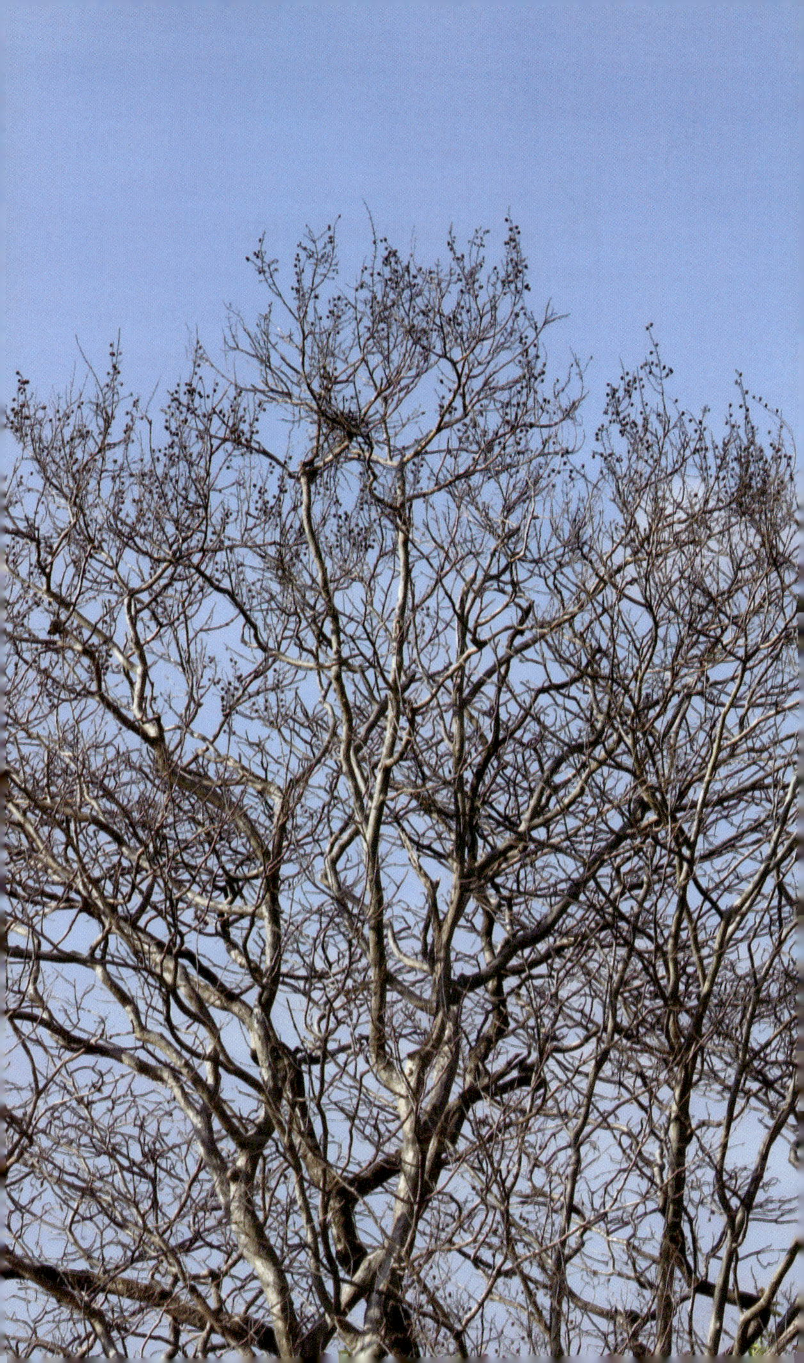

# 8

Bom dia, Espírito Santo, imensidão de amor.

Quero passar o dia tendo a certeza que sou muito amado, e por isso devo distribuir este mesmo amor a meus irmãos e irmãs. Vinde, Senhor, em meu socorro; que eu não deixe de sentir vossa presença e vossa graça a invadir a minha alma.

O mundo precisa sentir o quanto é amado por vós e eu quero neste dia ser sinal de amor. Que minha presença possa transmitir esse amor e que o meu dia seja direcionado apenas para amá-lo, assim como vós o fazeis.

Vinde, Espírito de Amor.

*"Amemo-nos uns aos outros, porque o amor é Deus"* (1Jo 4,7)

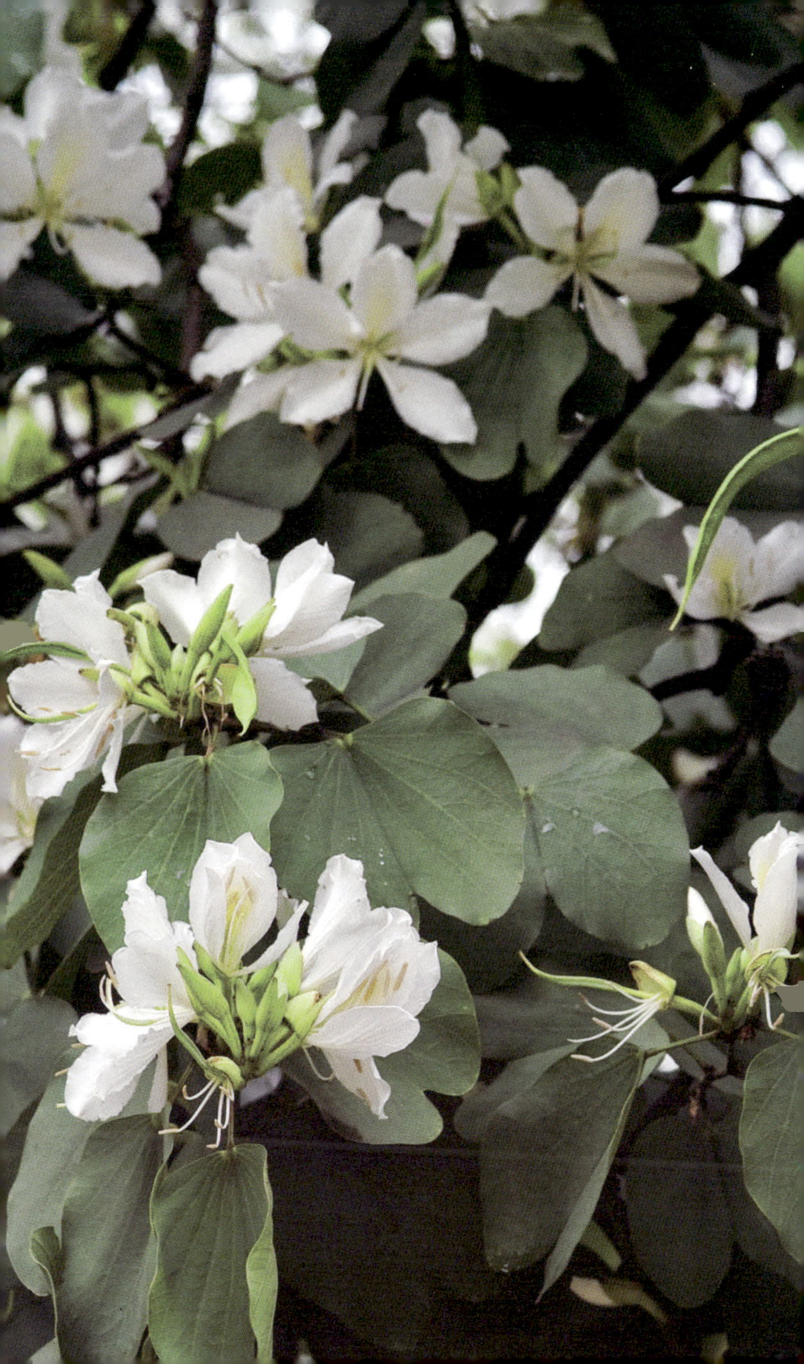

## 9

Bom dia, Espírito Santo,
exemplo de coragem.
O medo muitas vezes toma conta do
meu ser. Sei que posso contar com
vossa força, mas acovardo-me diante
dos problemas que a vida me
apresenta. São tantos os conflitos que
me sinto fraco e com medo.
Fielmente acredito que poderei vencer
todos os obstáculos se puder contar
com a coragem que vem de vós.
Auxiliai-me, Senhor, a ser forte diante
das minhas dificuldades, e que o
desespero nunca se aposse
de minha alma.

Vinde, Espírito de Coragem.

*"Mas tende confiança, eu venci o mundo"*
(Jo 16,33)

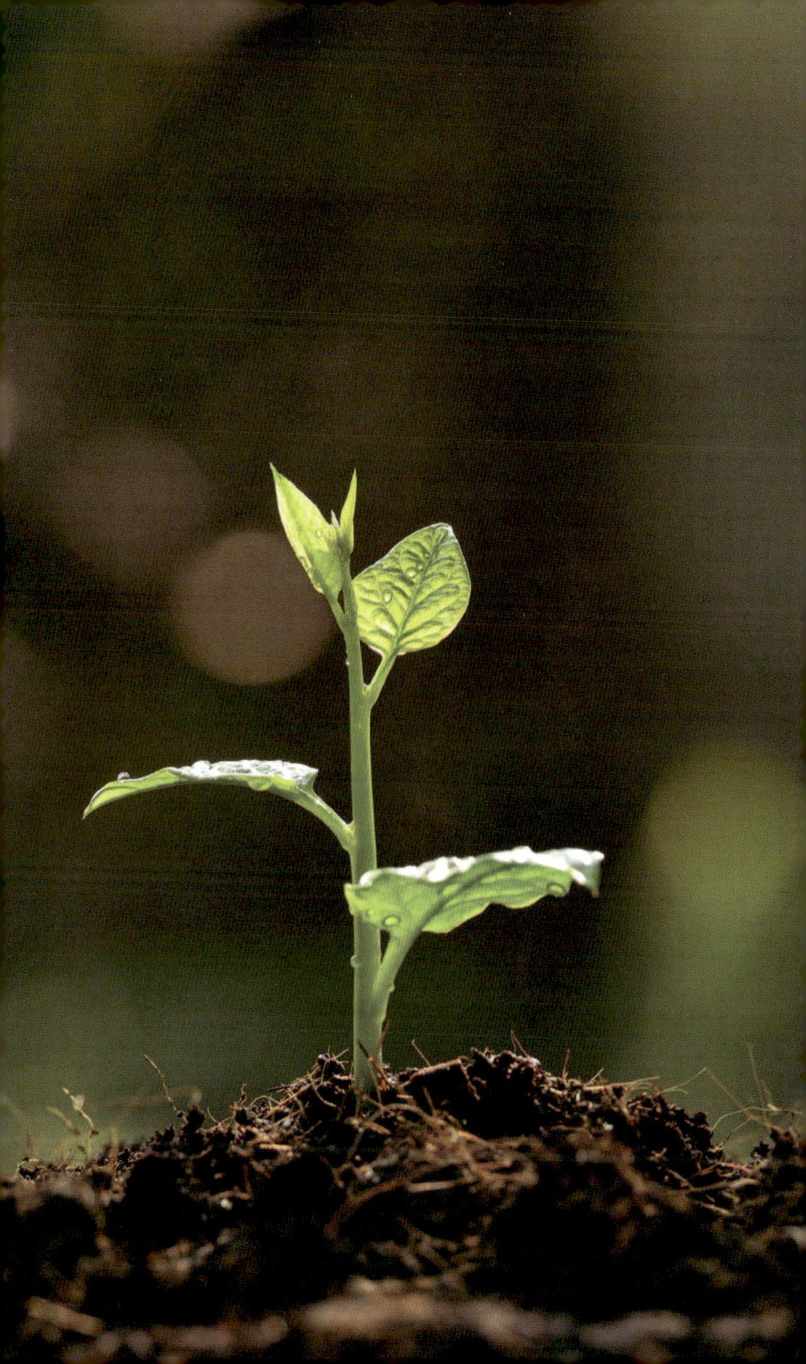

# 10

*B*OM DIA, ESPÍRITO SANTO, sumamente justo.
Nossa sociedade apresenta tantas injustiças e desigualdades que facilmente acreditamos que as coisas são assim mesmo. Os valores supremos de justiça e de fraternidade estão desaparecendo de nossas vidas. Buscarei hoje perceber todas as injustiças sociais e quero com a vossa graça não me omitir. Senhor nosso e suprema justiça, fazei-me ser neste dia um sinal do vosso reino de justiça, fraternidade e partilha.

Vinde, Espírito de Justiça.

*"O que o Senhor requer de ti: É que pratiques a justiça, que ames a misericórdia"* (Mq 6,8)

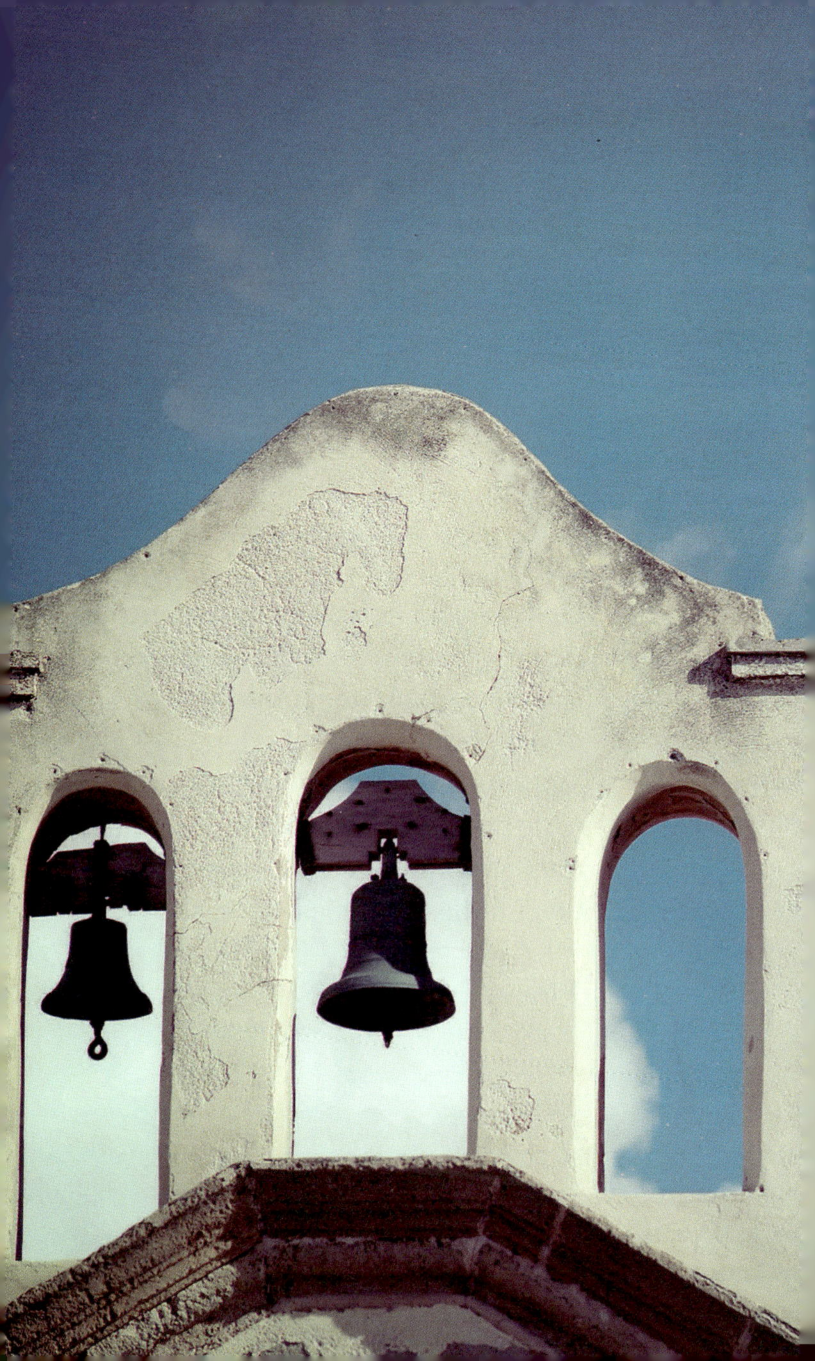

## 11

Bom dia, Espírito Santo,
fonte de sabedoria.
Acredito que de vós nos vêm todo o saber e o entendimento; muitas vezes nos falta sabedoria para distinguir o que é bom do que nos pode prejudicar; o mundo apresenta-nos muitas escolhas, resta-nos
fazer a opção.
Quero poder contar com o saber que de vós procede para aceitar tudo o que há de bom no mundo e rejeitar o que é prejudicial. Sabedoria suprema, derramai sobre mim o vosso espírito e a vossa sabedoria encha o meu ser para que eu possa ser sábio nas minhas decisões.

Vinde, Espírito de Sabedoria.

*"Mas a sabedoria foi justificada pelas suas obras"* (Mt 11,19)

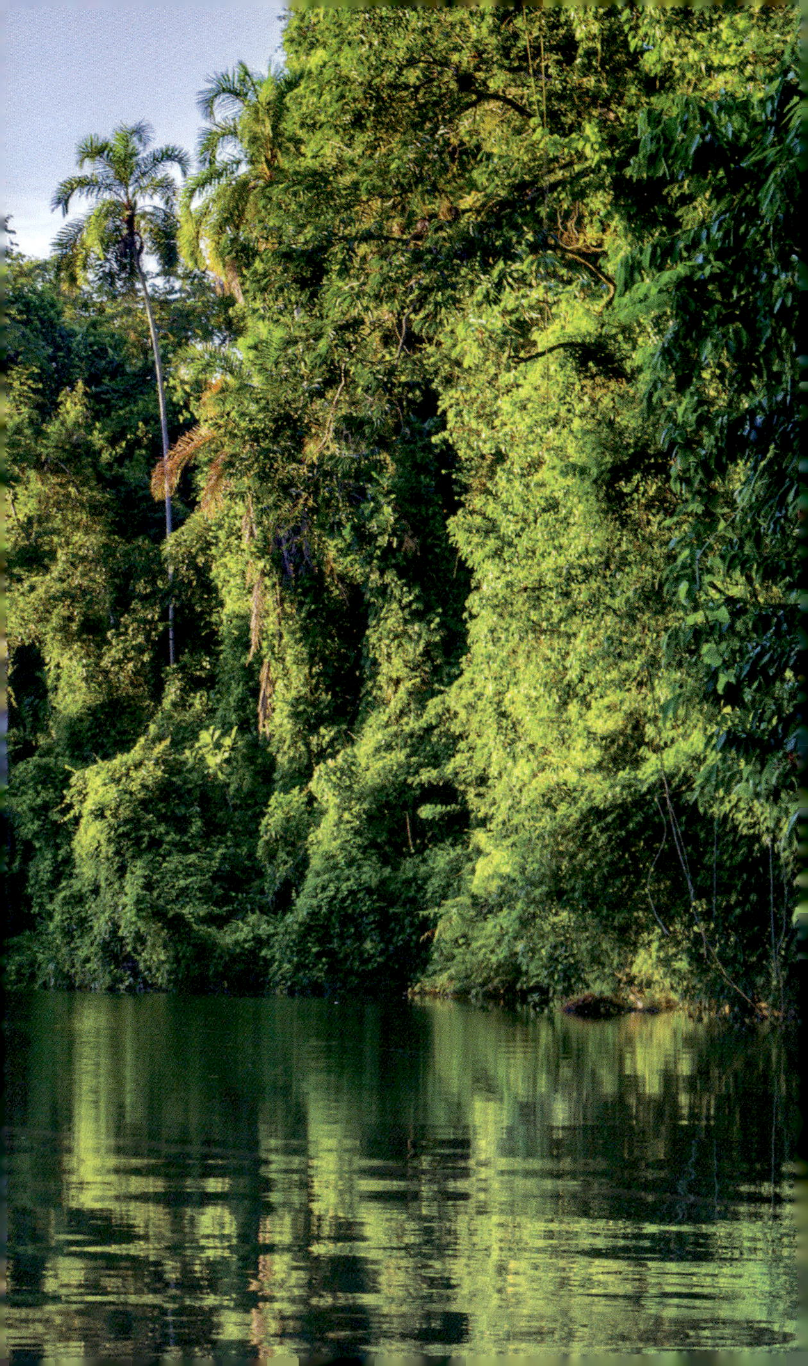

# 12

**B**om dia, Espírito Santo, servo da prudência. Minha impetuosidade muitas vezes me faz tomar caminhos errados, a prudência deve ser nossa companheira diária para não errarmos em nossas opções. Quero passar este dia tendo como meta a prudência no agir e no falar. Dirigi, Senhor, todas as minhas ações para que eu não cometa erros e não peque por agir impensadamente.

Vinde, Espírito de Prudência.

*"A ciência dos santos é a prudência"*
(Pr 9,10)

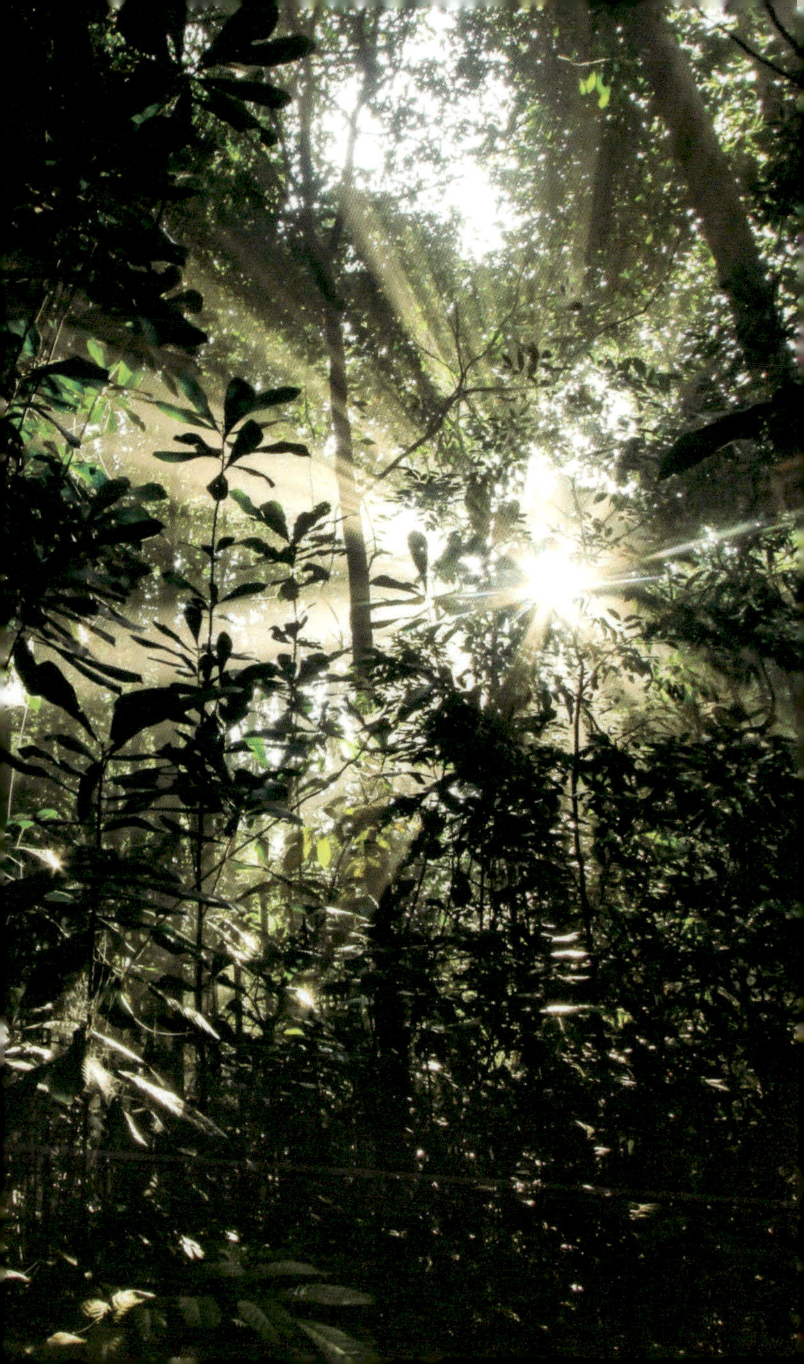

## 13

Bom dia, Espírito Santo, fulgurante luz.
Quero a vossa claridade a iluminar o meu dia; muitas vezes as trevas se apossam de minha alma e eu me deixo abater pela depressão. Quero irradiar a luz de vosso Espírito com a luminosidade de minha alma.
Confesso que tenho me deixado levar por pensamentos negativos, e que eles têm aos poucos ofuscado a luz de Deus. Vinde depressa, Senhor, e iluminai o meu coração, irradiai vossa luz em todo o meu ser para que eu seja fagulha de vosso brilho a iluminar o mundo.

Vinde, Espírito de Luz.

*"Andai como filhos da luz, porque o fruto da luz consiste em toda espécie de bondade, de justiça e de verdade"* (Ef 5,9)

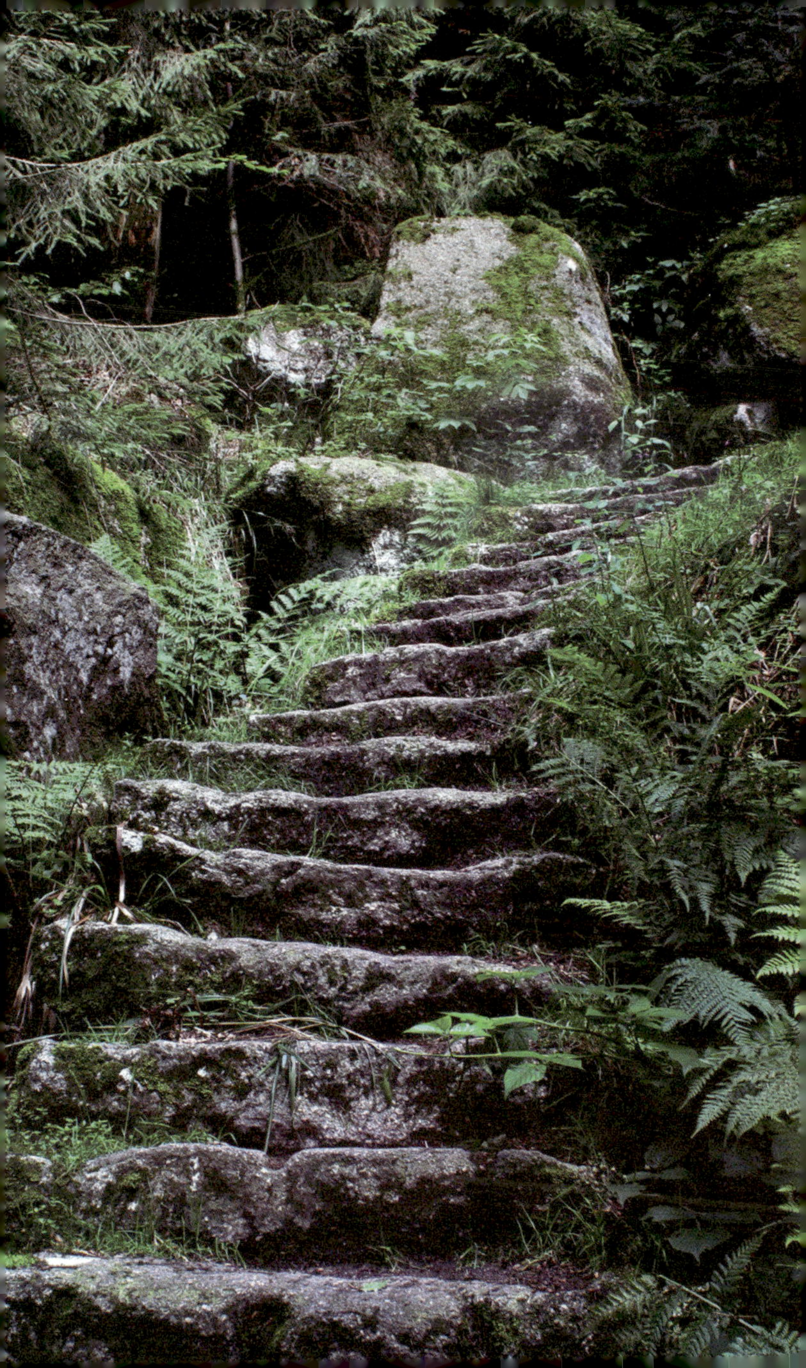

# 14

**B**OM DIA, ESPÍRITO SANTO,
causa de nossa união.
O mundo se desfaz e a desunião
impera em nossos dias. As guerras e
os conflitos fazem presença em nosso
dia a dia. Pequenas guerras que
criamos dentro de nossos lares abrem
espaço para que a falta de unidade se
espalhe e crie grandes separações.
Para promover a unidade, quero
sentir-me unido a vós. O amor que
une a Santíssima Trindade encontre
em mim um terreno fértil e que eu
possa dar frutos de unidade a todos
aqueles que sofrem com as pequenas
e grandes guerras de nossos dias.

Vinde, Espírito de União.

*"Quão bom e quão suave é que os irmãos vivam em união"* (Sl 133,1)

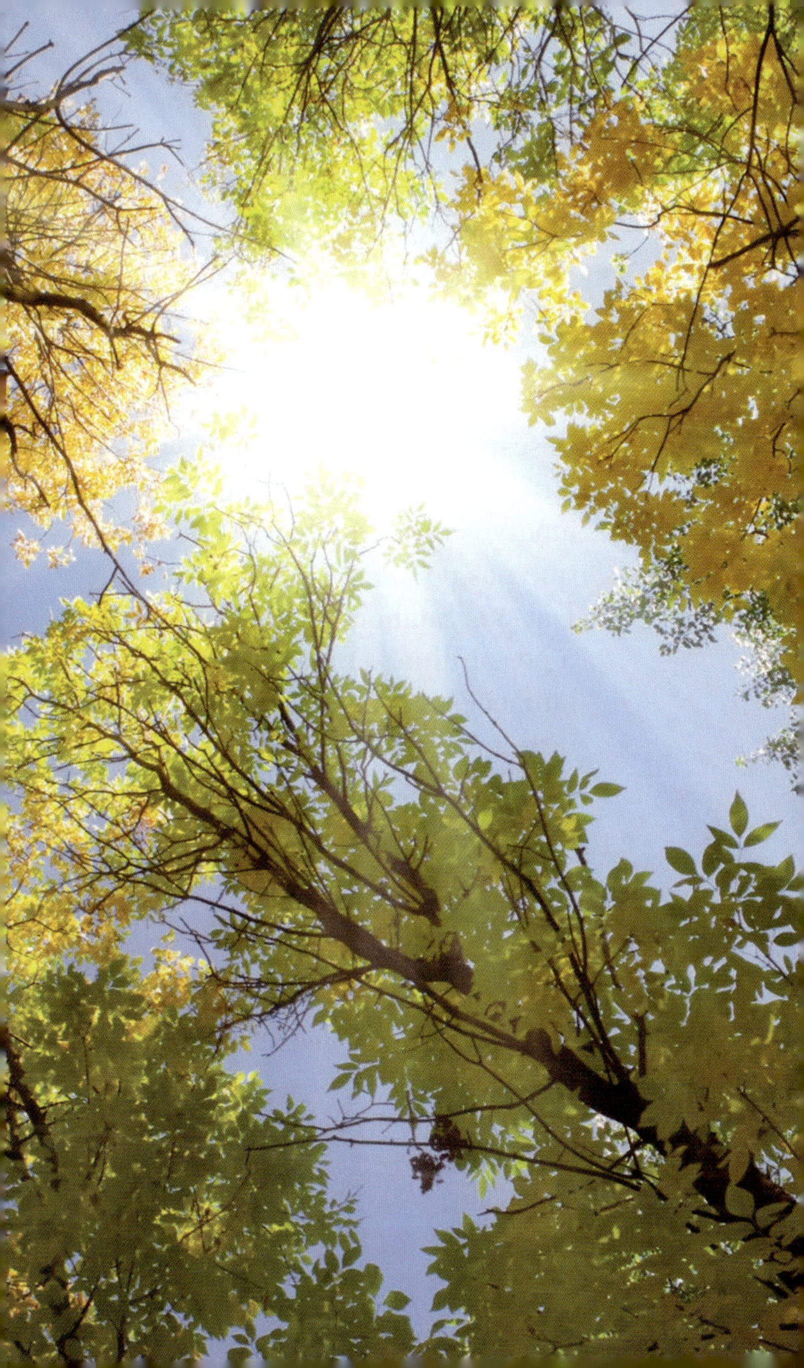

# 15

*B*OM DIA, ESPÍRITO SANTO,
alegria de nosso ser.
A tristeza faz parte de nossa vida,
porém não nos devemos deixar abater
por ela. Situações de perda, de
desespero, de angústia, entristecem
a nossa alma e nos tornam mais
amargos com aqueles
que nos cercam.
Dai-me, Senhor, a alegria de viver, e
a possibilidade de enfrentar todas as
situações com a confiança na alegria
de ser seu filho amado. Alegre-se
minha alma, pois todas as tristezas
serão consoladas por Deus.

Vinde, Espírito de Alegria.

*"Me alegraste, Senhor, com as tuas obras"*
(Sl 92,5)

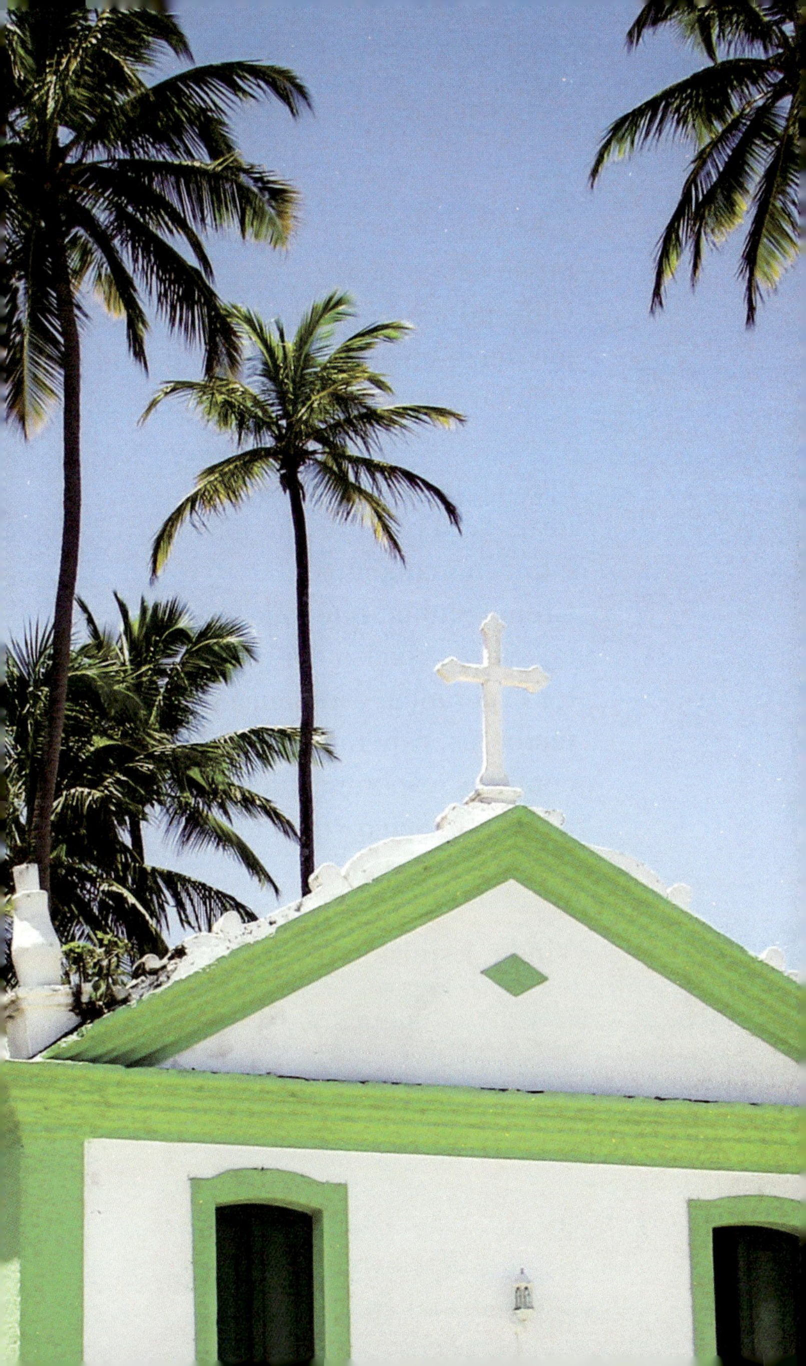

# 16

**B**om dia, Espírito Santo,
nossa esperança.
O desânimo se apodera de mim, e eu
me deixo levar; desacredito de tudo e
de todos, sinto-me fraco e chego às
vezes a me desesperar; não busco
ajuda e por isso minha alma
torna-se repleta de dúvidas
e questionamentos.
Creio, Senhor, que todo o nosso ser só
encontra repouso em vós. Quero ser e
ter esperança, esperança de dias
melhores, esperança de solução de
conflitos, esperança de poder ser
revestido com a vossa força
e com o vosso amor.

Vinde, Espírito de Esperança.

*"Bom é ter esperança e aguardar em silêncio a salvação do Senhor"* (Lm 3,26)

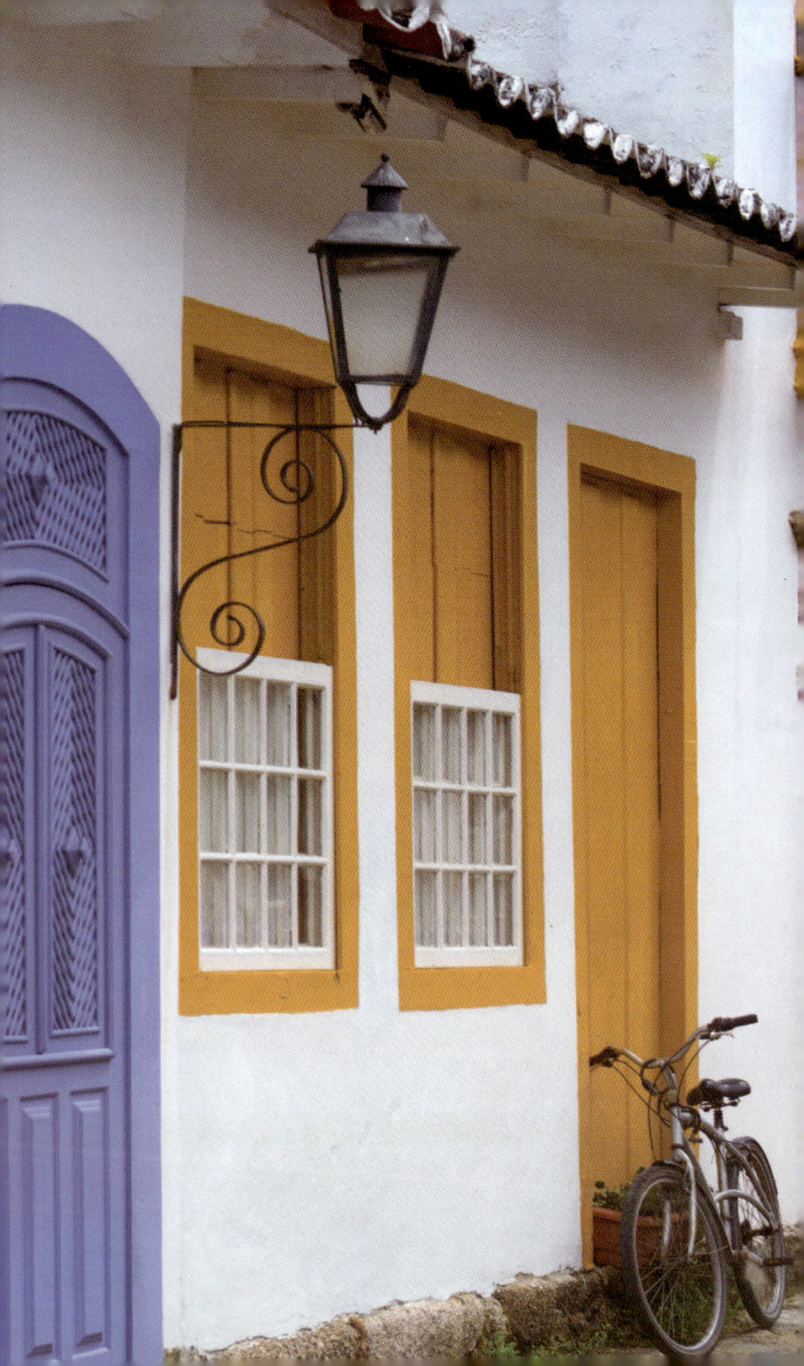

# 17

Bom dia, Espírito Santo,
infinita certeza.
A dúvida leva a sentir-me fraco na fé,
faz com que eu não perceba a vossa
presença, que eu não sinta que
vossa prática busca vencer
toda forma de injustiça.
Tirai, Senhor, de mim todas as
dúvidas e que eu possa ter a certeza
de que com o vosso auxílio não mais
terei medo, e me comprometerei com
a busca da verdade e da justiça. Que
eu possa me converter, e ser um fiel
seguidor vosso. A certeza de vossa
presença seja a alegria do meu dia.

Vinde, Espírito de Certeza.

*"Imediatamente Jesus estendeu-lhe a mão, tomou-o e lhe disse: Homem de pouca fé, por que duvidaste?"* (Mt 14,31)

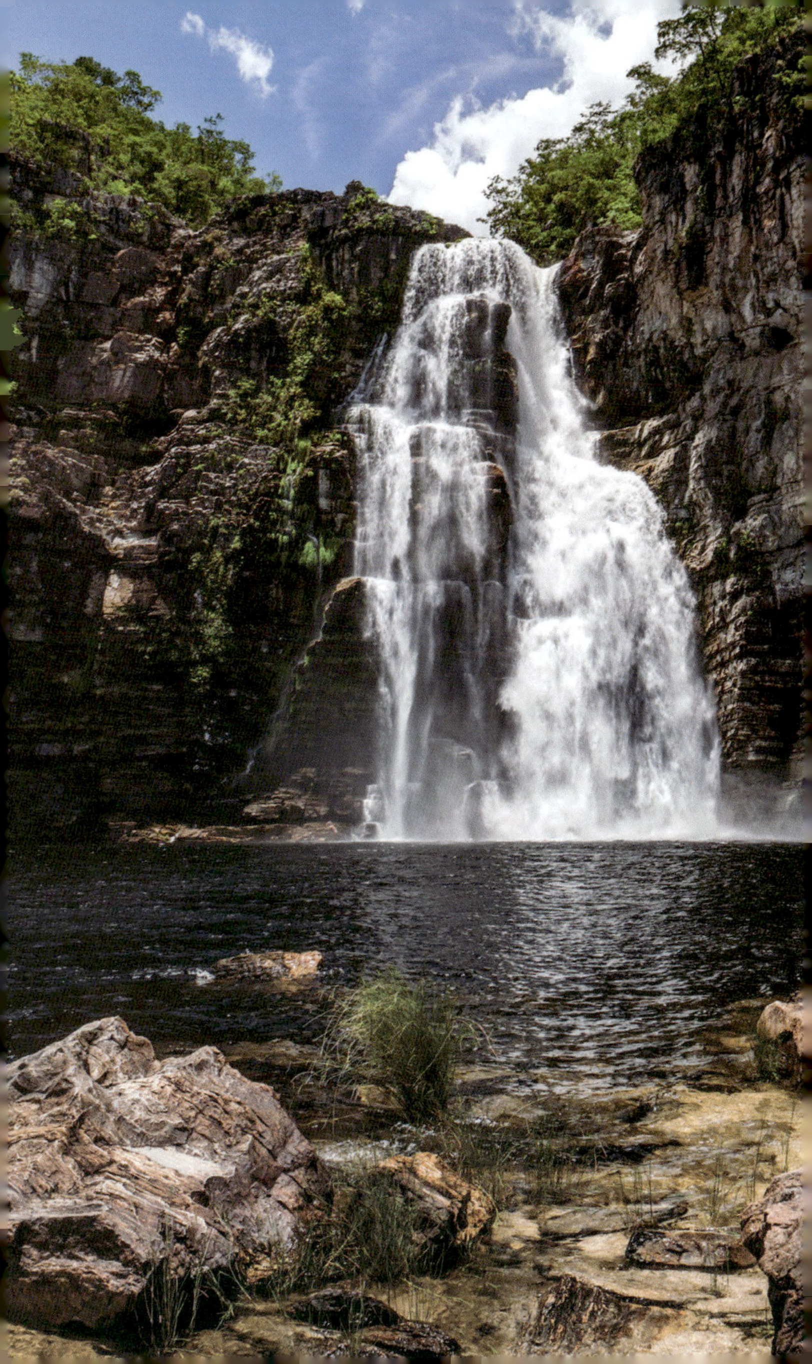

# 18

**B**OM DIA, ESPÍRITO SANTO,
doador do entendimento.
Os sinais da presença de Deus
povoam o nosso dia a dia; muitas
vezes não entendo essa força criativa.
Dai-me hoje o dom do entendimento
para crescer na fé e poder entender
e assimilar a presença de Deus
no mundo.
Ajudai-me a superar as aparências
para que eu possa perceber
realmente a vossa ação, auxiliai-me a
ter um olhar mais límpido para ver o
mundo como vós o vedes.

Vinde, Espírito de Entendimento.

*"Então abriu-lhes o entendimento para compreenderem as Escrituras"* (Lc 24,45)

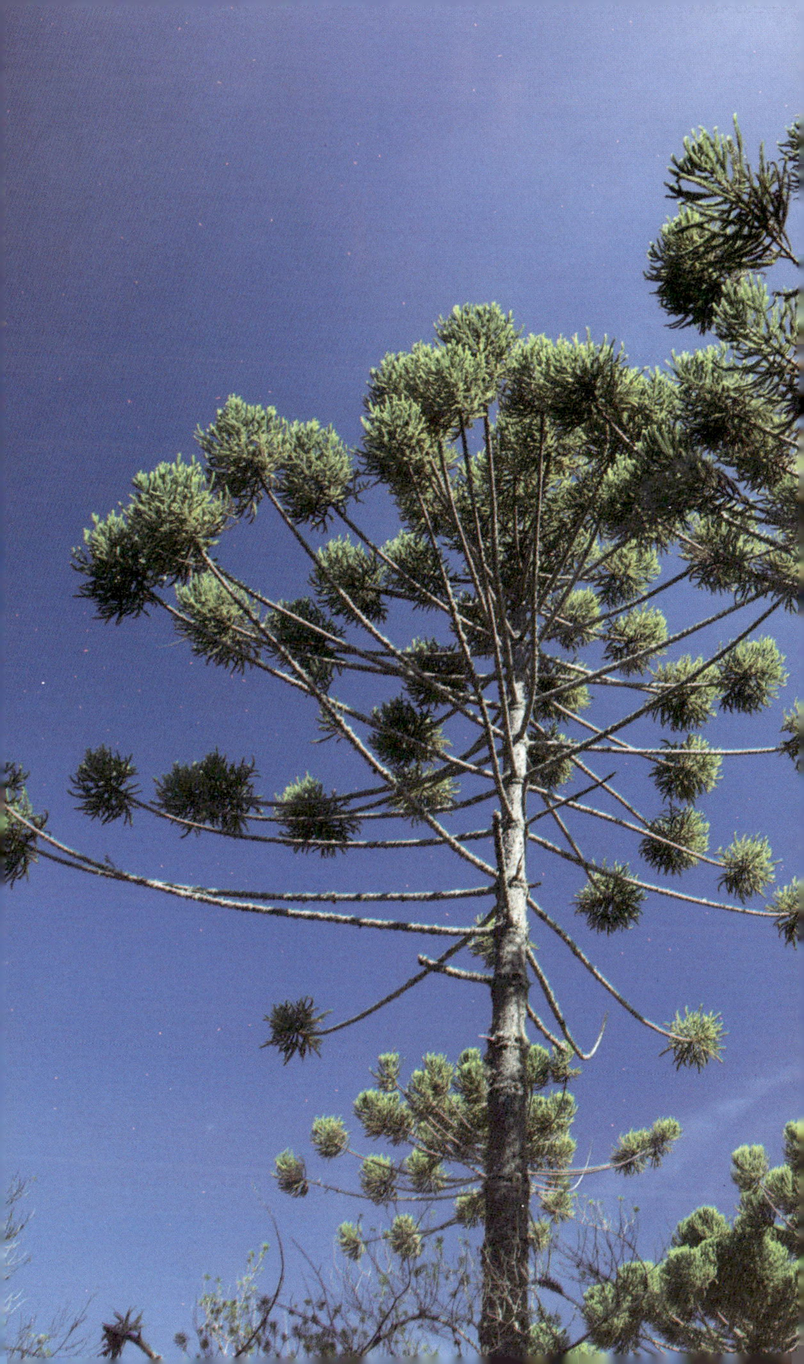

# 19

*B*OM DIA, ESPÍRITO SANTO, alimentador da piedade.
Meu coração muitas vezes está duro como a pedra; isso impossibilita que eu me abra com ternura para Deus e para os meus irmãos. Enchei-me de piedade para que eu possa rezar confiante, mesmo nos momentos difíceis, tão propícios a rebeldias interiores.
Para tornar possível a civilização do amor, quero um coração puro, repleto de compreensão, de tolerância, de perdão. Que a vossa piedade me cubra neste dia.

Vinde, Espírito de Piedade.

*"E à piedade amor fraternal, e ao amor fraternal caridade"* (2Pd 1,7)

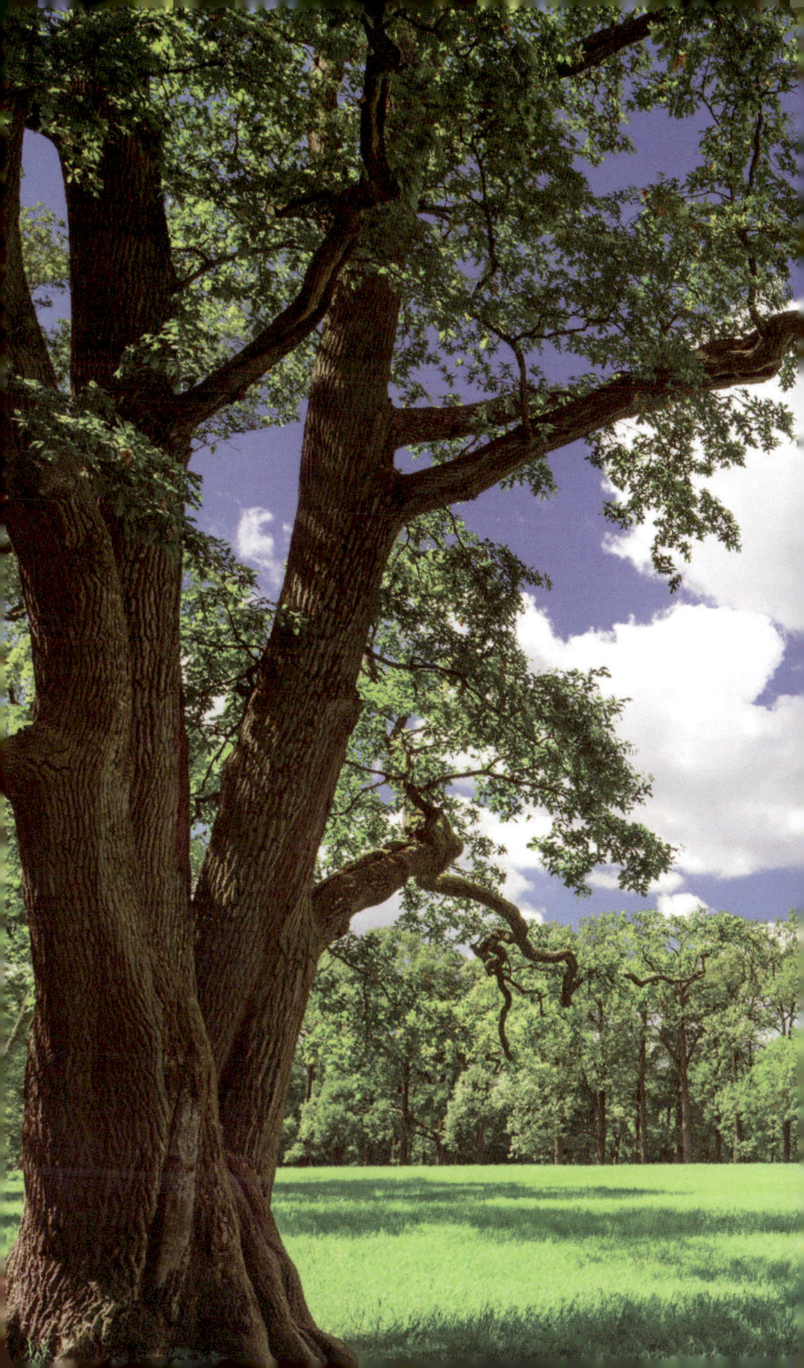

# 20

*B*OM DIA, ESPÍRITO SANTO,
dom do temor de Deus.
Muitas vezes abuso da graça divina;
despertai em mim o amor filial para
que sempre confiante eu vos busque.
Quero caminhar por este dia sem
falhar, sem vos ofender, porque vos
amo e respeito. Que a vivência deste
dom não seja somente para o meu
proveito, mas para a edificação
do vosso Reino.

Vinde, Espírito do Temor de Deus.

*"O temor do Senhor é o princípio
da sabedoria"* (Sl 111,10)

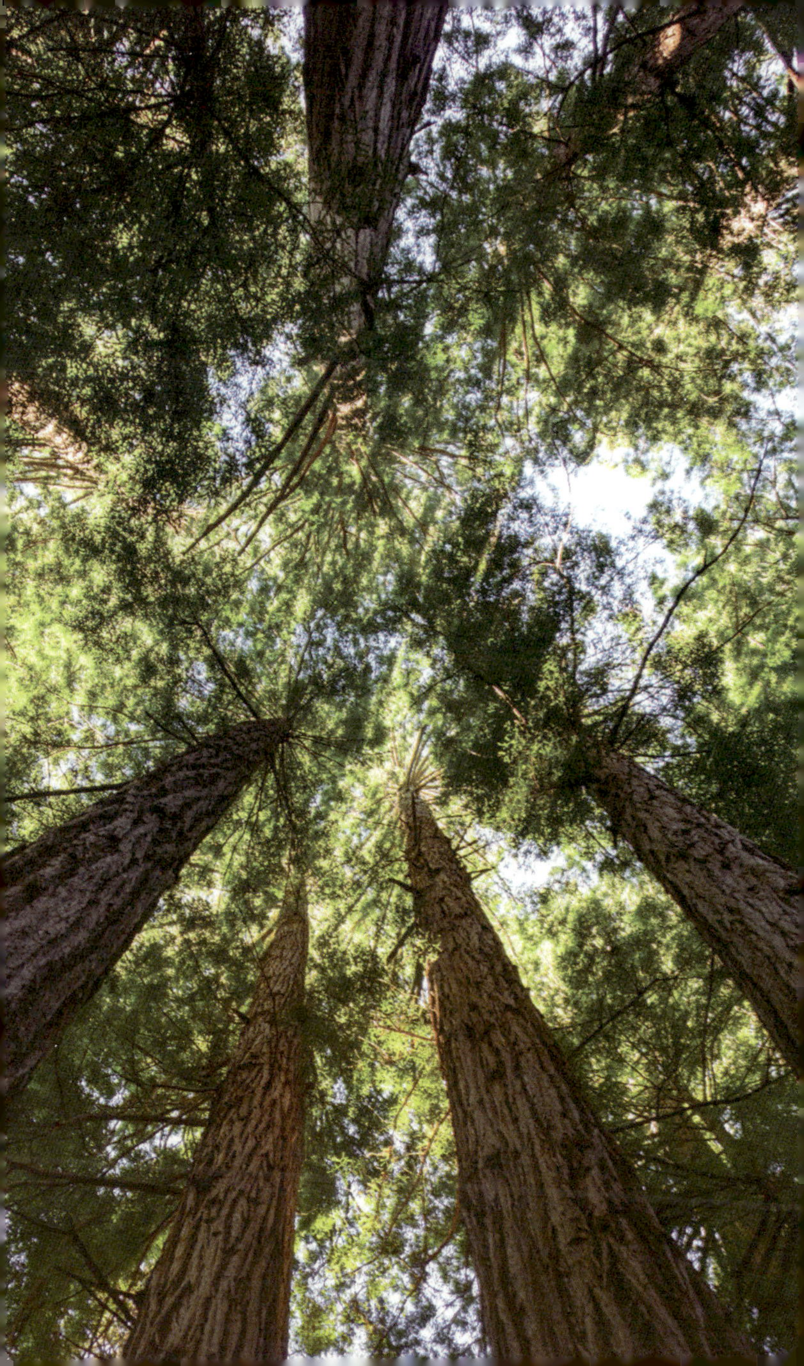

# 21

*B*OM DIA, ESPÍRITO SANTO,
nossa fortaleza.
A fraqueza de espírito nos
impulsiona a cometer atos movidos
simplesmente pelas paixões internas
e pela pressão do ambiente.
Atos que demonstram a nossa
fraqueza moral e que produzem
acomodação e pecado social.
Que o dom da fortaleza me auxilie a
aperfeiçoar e elevar a minha virtude
moral, infundindo em mim a coragem
para fazer a vontade de Deus,
especialmente nos tempos difíceis
e nas provações da vida.

Vinde, Espírito de Fortaleza.

*"Deus é minha fortaleza e minha força"*
(2Sm 22,33)

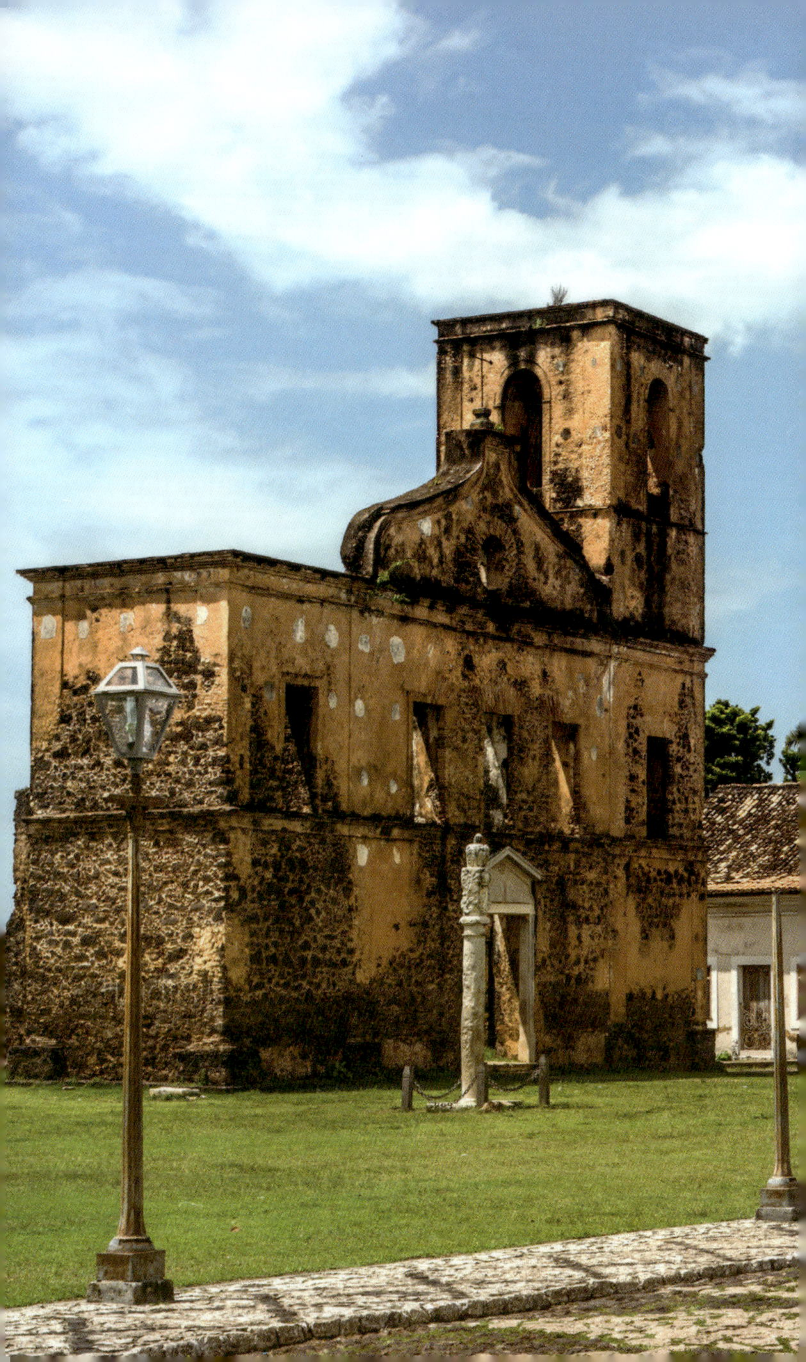

# 22

**B**OM DIA, ESPÍRITO SANTO, divina ciência.

Pelas ciências somos levados a conhecer as leis naturais que regem o mundo; mas com o dom da ciência que de vós provém podemos conhecer o verdadeiro valor das vossas criaturas.

Que eu possa neste dia não valorizar o que é material, que eu não transforme em ídolos as coisas por vós criadas, mas possa valorizá-las pela sua dependência de vós, Criador de todas as coisas. Que a vossa ciência me auxilie a perceber o mundo como manifestação de vosso amor infinito.

Vinde, Espírito de Ciência.

*"É ele que revela as coisas profundas e escondidas, que conhece o que está nas trevas"*
(Dn 2,22)

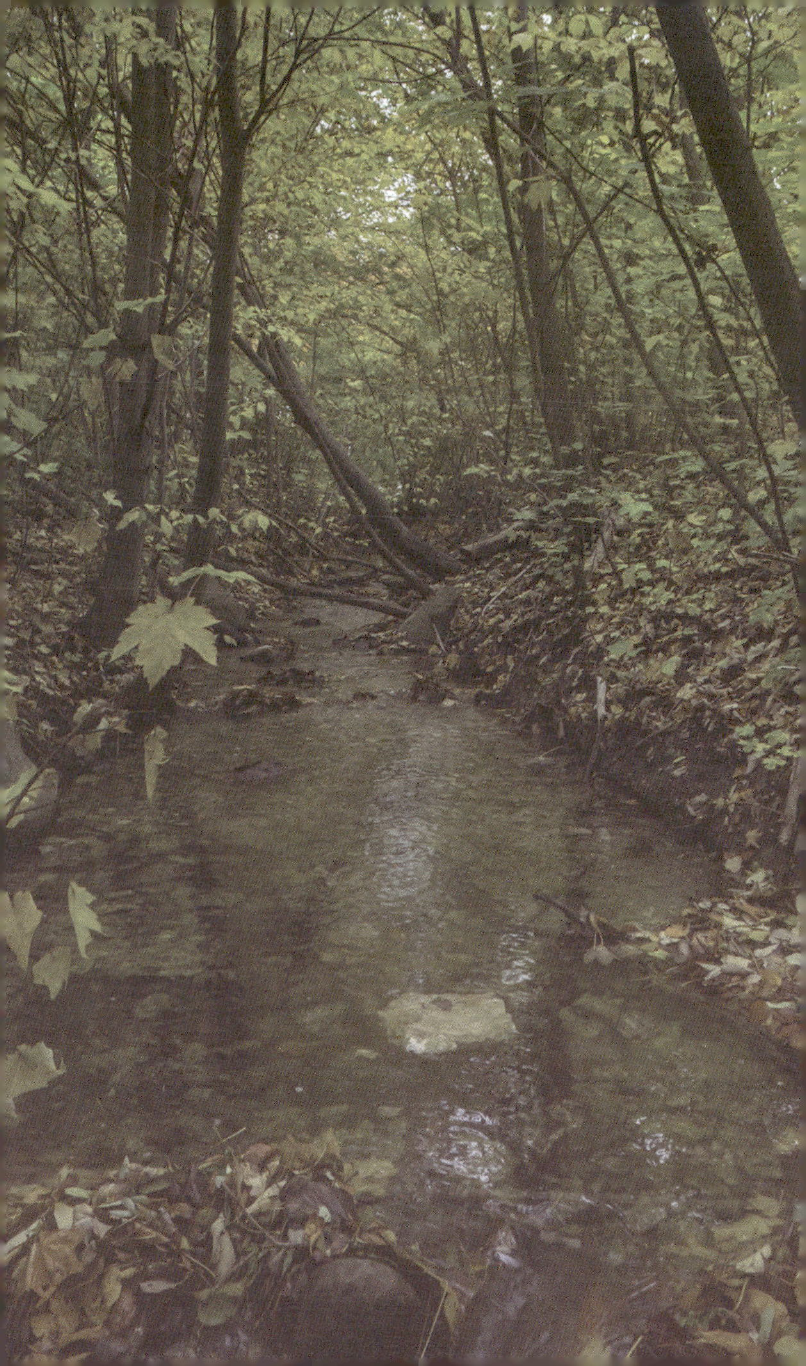

## 23

*B*OM DIA, ESPÍRITO SANTO,
conselheiro absoluto.
As paixões muitas vezes nos levam a
tomar decisões destrutivas; o vosso
dom do conselho vem socorrer-nos
para obtermos uma justa decisão.
Logo pela manhã venho pedir que me
auxilieis a dirigir a palavra exata, no
momento oportuno, a cada pessoa.
Vosso dom possa iluminar a minha
consciência, principalmente nas
opções morais que a vida me
apresentar. Que vosso conselho me
ajude a praticar a virtude cardeal
da prudência em minhas ações.

Vinde, Espírito de Conselho.

*"Sabedoria e fortaleza estão em Deus;
ele possui o conselho e a inteligência"* (Jó 12,13)

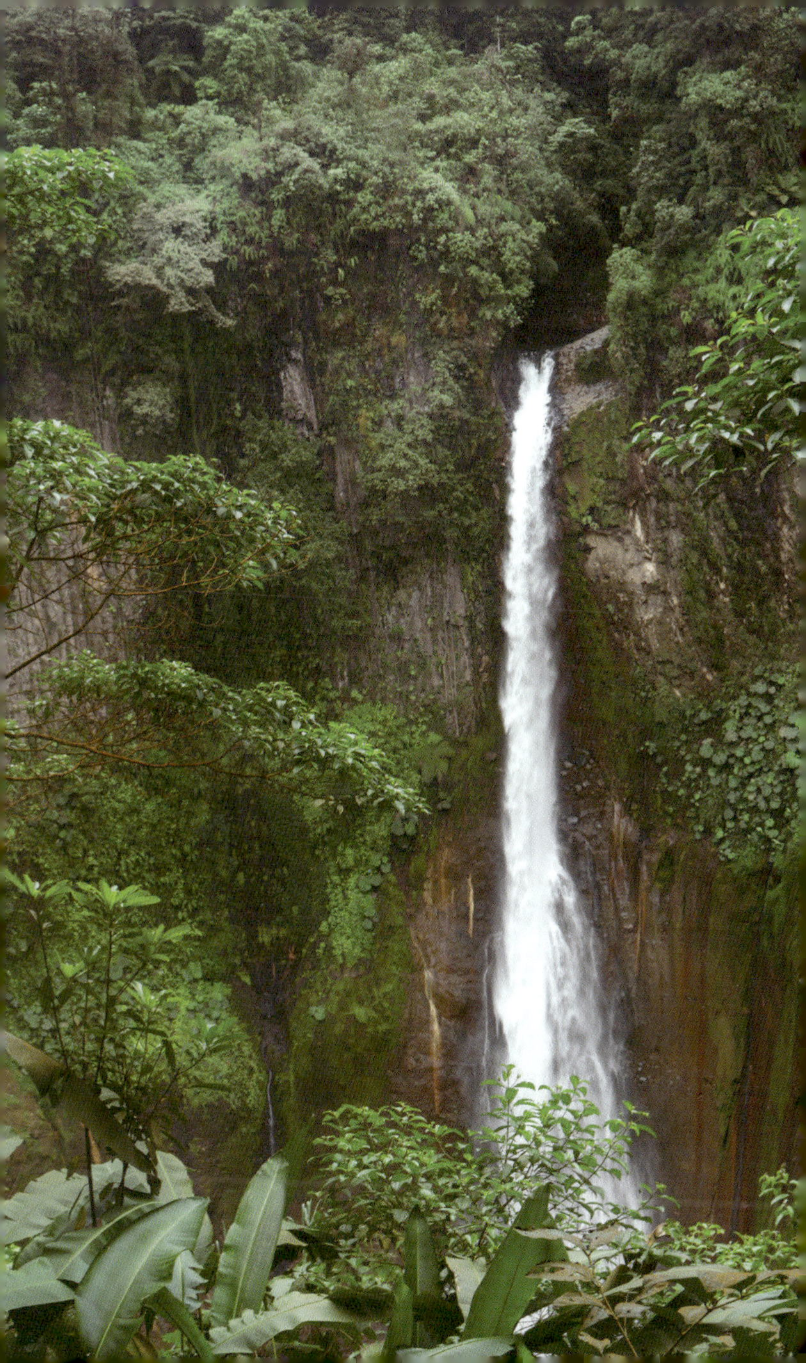

## 24

*B*OM DIA, ESPÍRITO SANTO,
nosso amparo.
Como é bom sentir-me amparado por vós. Nos momentos difíceis de minha vida posso sempre perceber a vossa presença a me sustentar, a me proteger, a me amparar.
Assim como sinto o vosso amparo em meus dias, quero hoje poder transmitir este mesmo sentimento aos meus irmãos. Dai-me forças, Senhor, para amparar aquele que estiver caído, abalado ou desesperado.
Que a vossa presença de amparo seja sentida com a minha presença.

Vinde, Espírito de Amparo.

*"Atacaram-me no dia da minha aflição, e o Senhor fez-se meu amparo"* (Sl 18,19)

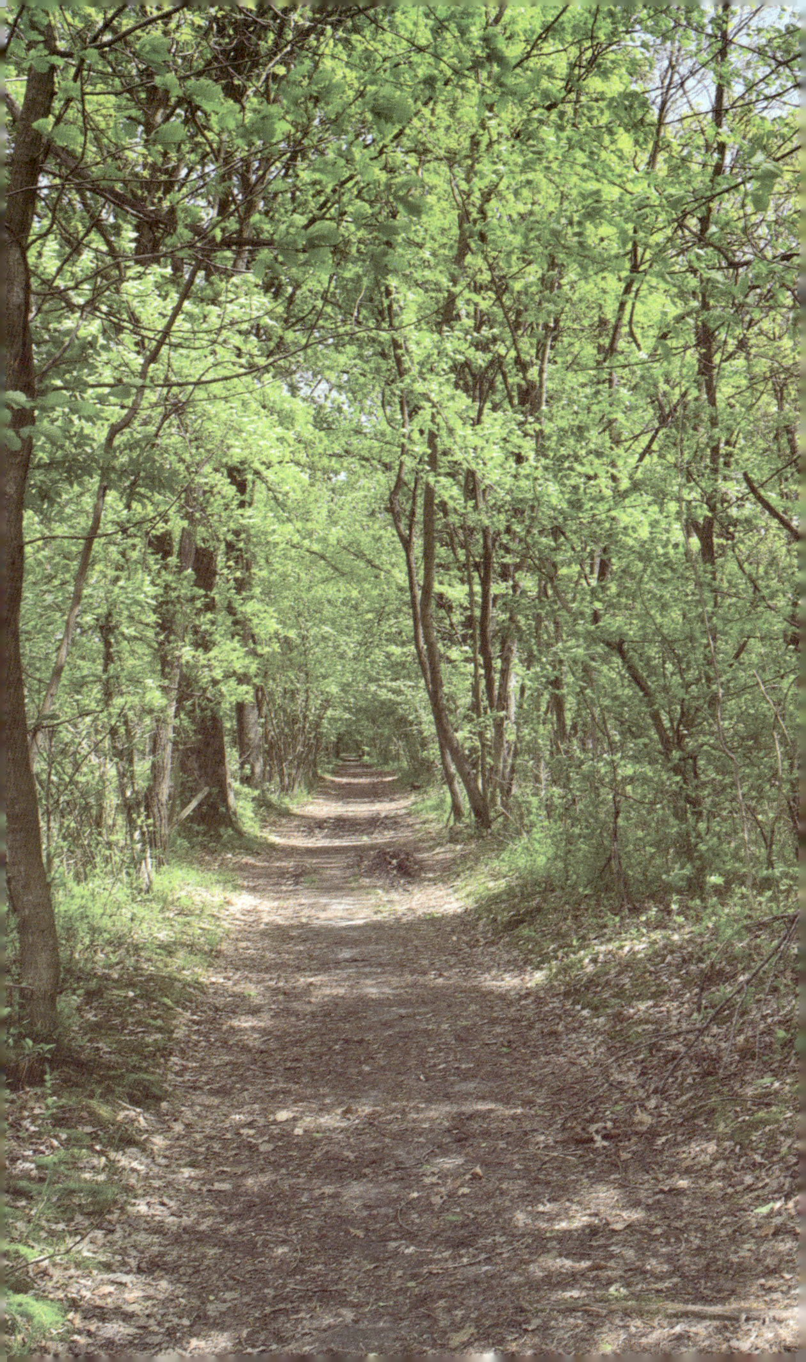

## 25

*B*om dia, Espírito Santo, mestre da fé.
Muitas vezes sinto-me fraco no meu acreditar, no meu confiar. Sei que vós sois o centro e a fonte de toda a nossa fé, mas humildemente como os Apóstolos, venho pedir-vos: "eu creio, mas aumentai a minha fé". Quero acreditar com todo o meu ser, com todas as minhas forças, para transmitir as maravilhas que tenho experimentado em minha vida. Dai, Senhor, que eu seja forte na fé e que possa superar todas as dúvidas que povoam a minha mente.

Vinde, Espírito de Fé.

*"Mas o justo viverá na sua fé"*
(Hab 2,4)

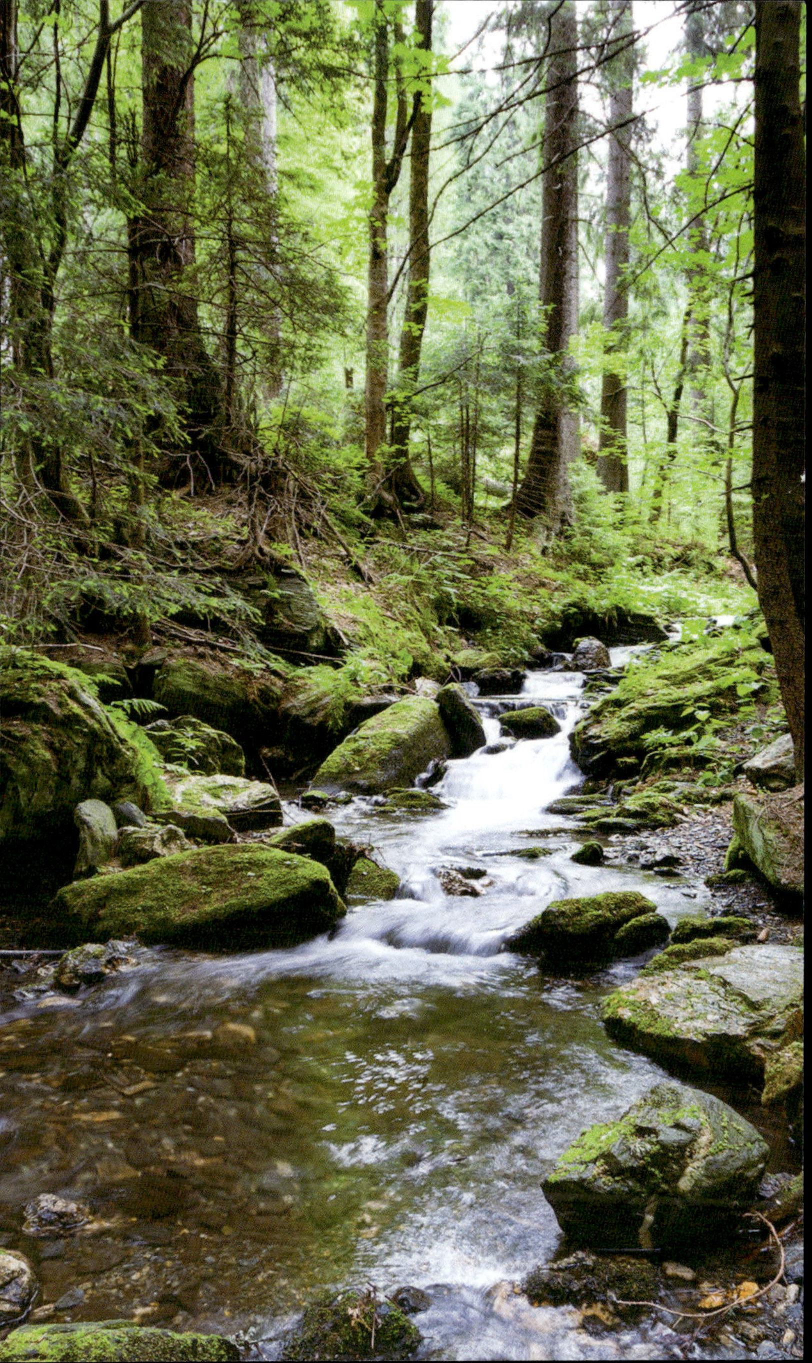

## 26

Bom dia, Espírito Santo,
princípio de nossa vocação.
Desde a minha concepção vós me
chamastes à vida. A todo momento
sinto que continuais me chamando
para ser cristão por completo, e eu
tenho de responder a esta vocação
com o meu sim, consciente de que
existem várias formas de chamados.
Quero hoje ser resposta de amor a
vosso chamado.
Dentro das minhas circunstâncias e
dos meus limites quero responder o
meu sim, e colocar-me
verdadeiramente a vosso serviço.
Fazei de mim, Senhor, um instrumento
do vosso amor e da vossa misericórdia.

Vinde, Espírito da Vocação.

*"Andeis de um modo digno da vocação a que fostes chamados"* (Ef 4,1)

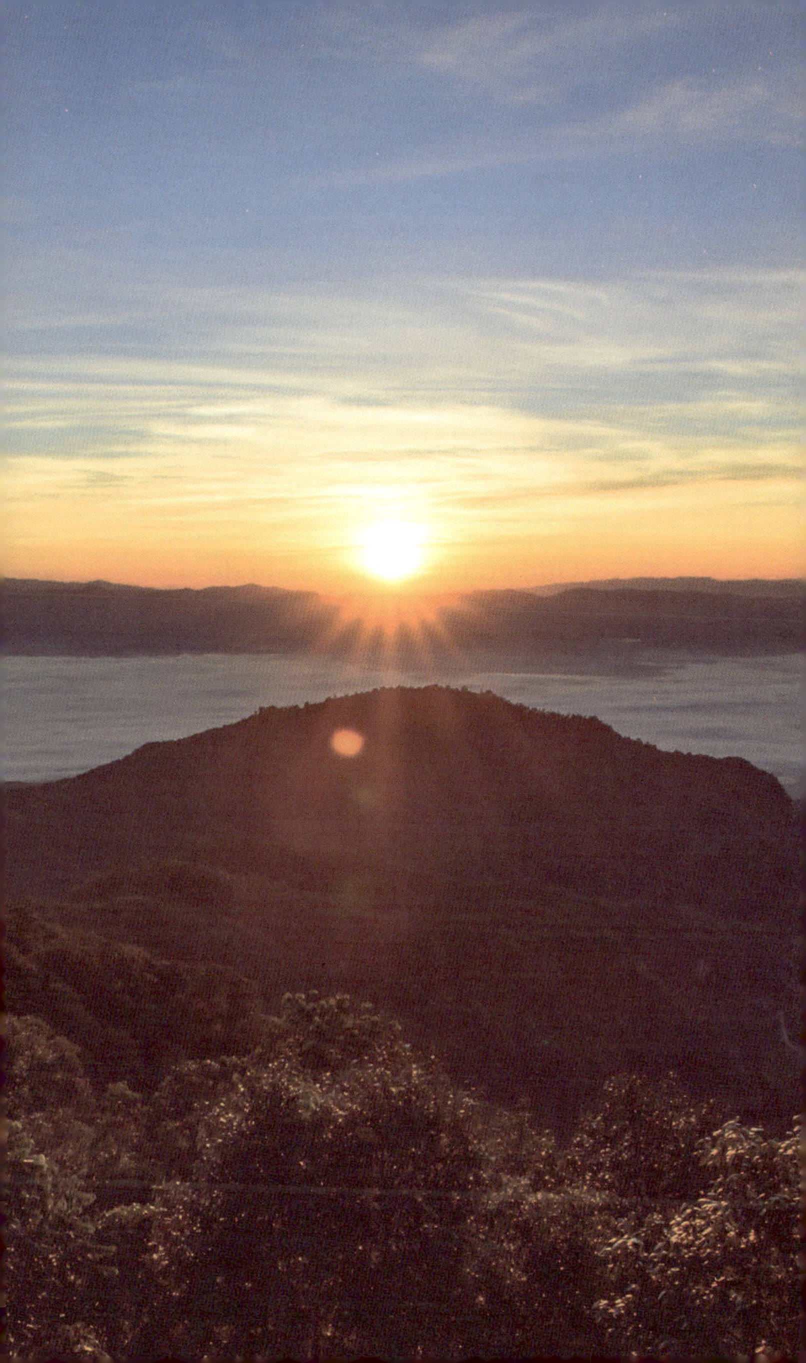

# 27

*B*OM DIA, ESPÍRITO SANTO,
de missionariedade.
Preciso responder ao compromisso
assumido em meu batismo.
Enviai-me, Senhor, para ser um
anunciador de Vossa Palavra, preciso
sentir vossa força a me impulsionar,
a me proteger e a me conduzir.
Que eu não tenha medo de
proclamar, de evangelizar, de
anunciar a vossa misericórdia e o
vosso amor. Faça-se em mim segundo
a vossa Palavra e que eu possa
servir-vos como anunciador
desta mesma Palavra.

Vinde, Espírito Missionário.

*"O Senhor Deus me enviou
com o seu espírito"* (Is 48,16)

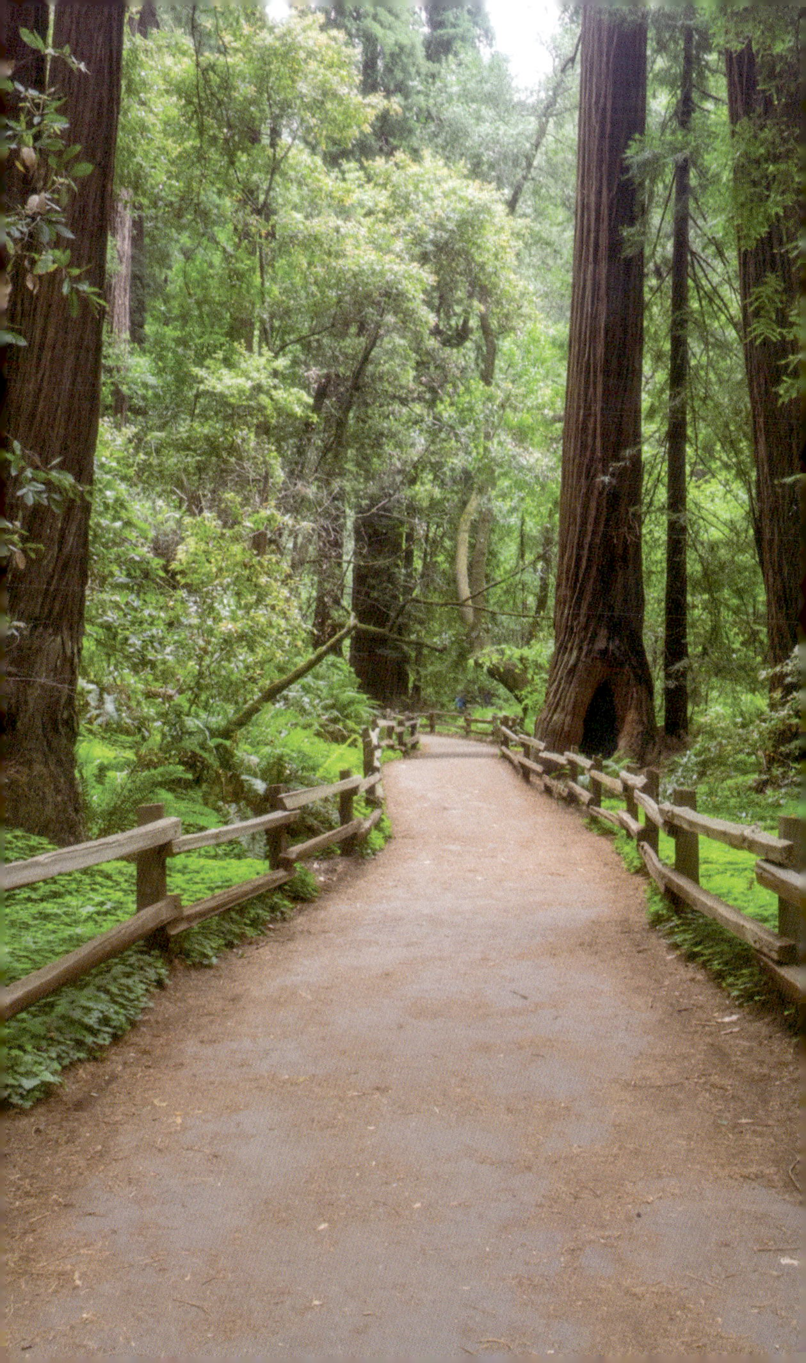

# 28

Bom dia, Espírito Santo,
coragem do testemunho.
Diante de um mundo secularizado,
onde os valores materiais sobrepõem
os espirituais, onde o ter e o poder
são mais valorizados do que o ser, é
difícil dar testemunho do ser cristão,
do acreditar na possibilidade de um
mundo de justiça e fraternidade.
Assim como vós destes força aos
santos e santas de Deus para com sua
vida serem testemunhas de vosso
amor, ajudai-me a ter a coragem de
dar testemunho com a minha vida na
busca de um mundo melhor.

Vinde, Espírito de Testemunho.

*"O testemunho é este: que Deus deu-nos a vida eterna"* (1Jo 5,11)

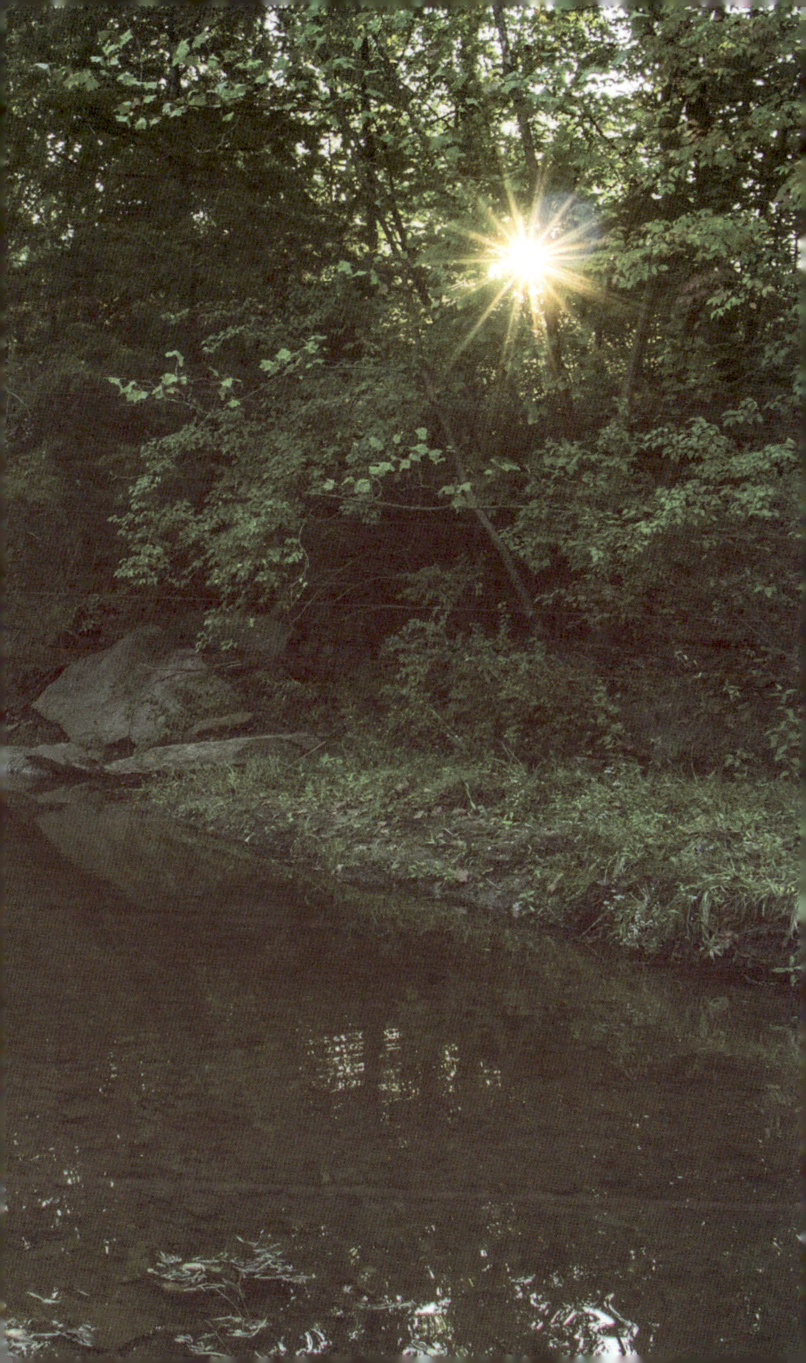

## 29

*B*OM DIA, ESPÍRITO SANTO,
nosso maior animador.
O desânimo se abate sobre mim,
e eu me sinto fraco até para rezar.
Nestas horas é que quero contar com
a força animadora que de vós nos
vem. Dai-me ânimo para poder pedir,
para poder agradecer, para poder
louvar. Que eu não desanime na
minha busca diária da santidade.
Animador da Santa Igreja, vinde até
mim com vosso fogo abrasador e
infundi em meu coração a coragem
para poder orar e cumprir com os
meus deveres de cristão.

Vinde, Espírito Animador.

*"Tende ânimo, sou eu, não temais"*
(Mt 14,27)

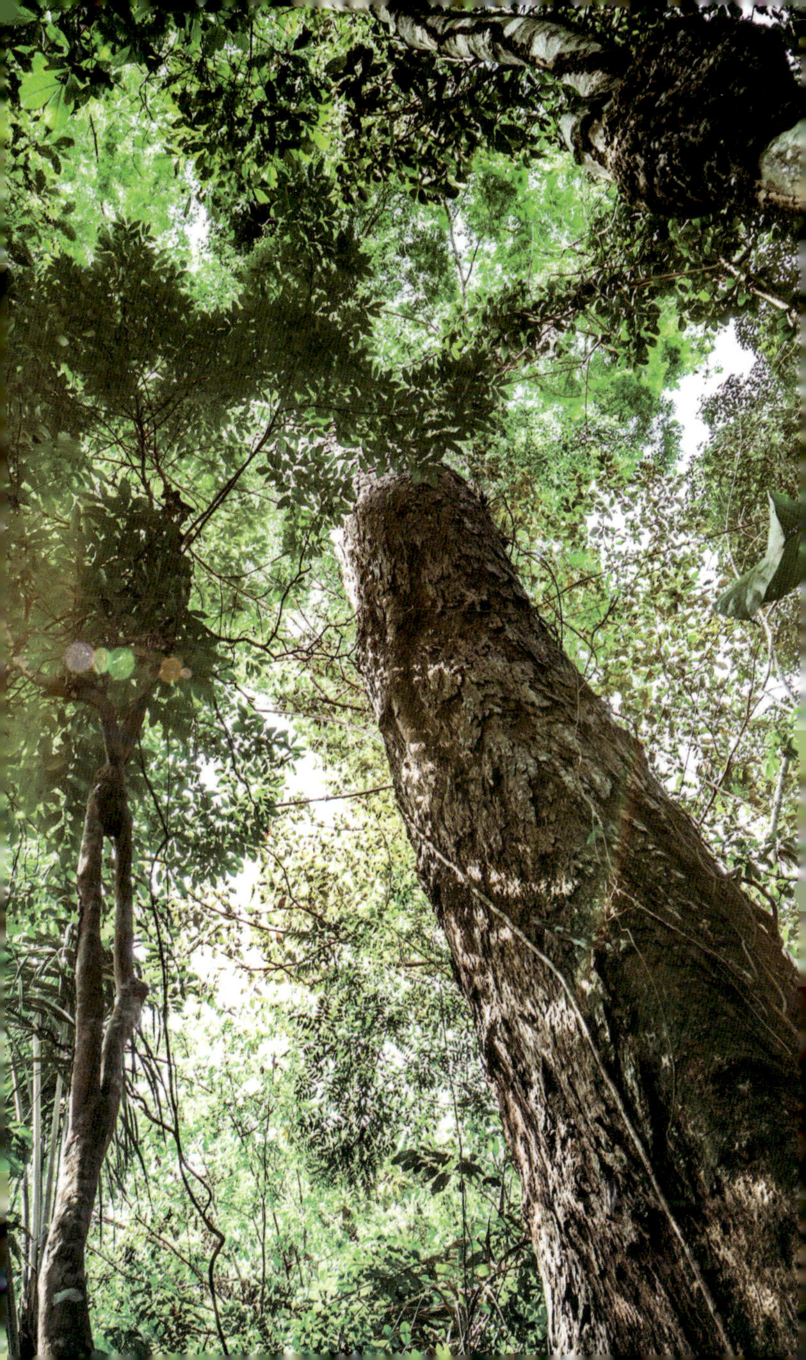

## 30

**B**om dia, Espírito Santo,
liberdade dos cativos.
Existem muitas prisões em nosso
mundo, porém, as maiores prisões
são aquelas que não podem ser
vistas, as prisões dos vícios, das
maldades, do desamor; prisões onde
a chave da liberdade está no coração.
Vós tendes dado muitas provas
durante a nossa vida de que sois o
supremo libertador. Sede hoje para
mim razão de libertação para todas
as correntes que me impedem de
viver plenamente a vida
que de vós me vem.

Vinde, Espírito de Liberdade.

*"No meio de minhas tribulações invoquei o Senhor, e ele me ouviu, e me libertou"* (Sl 116,3s)

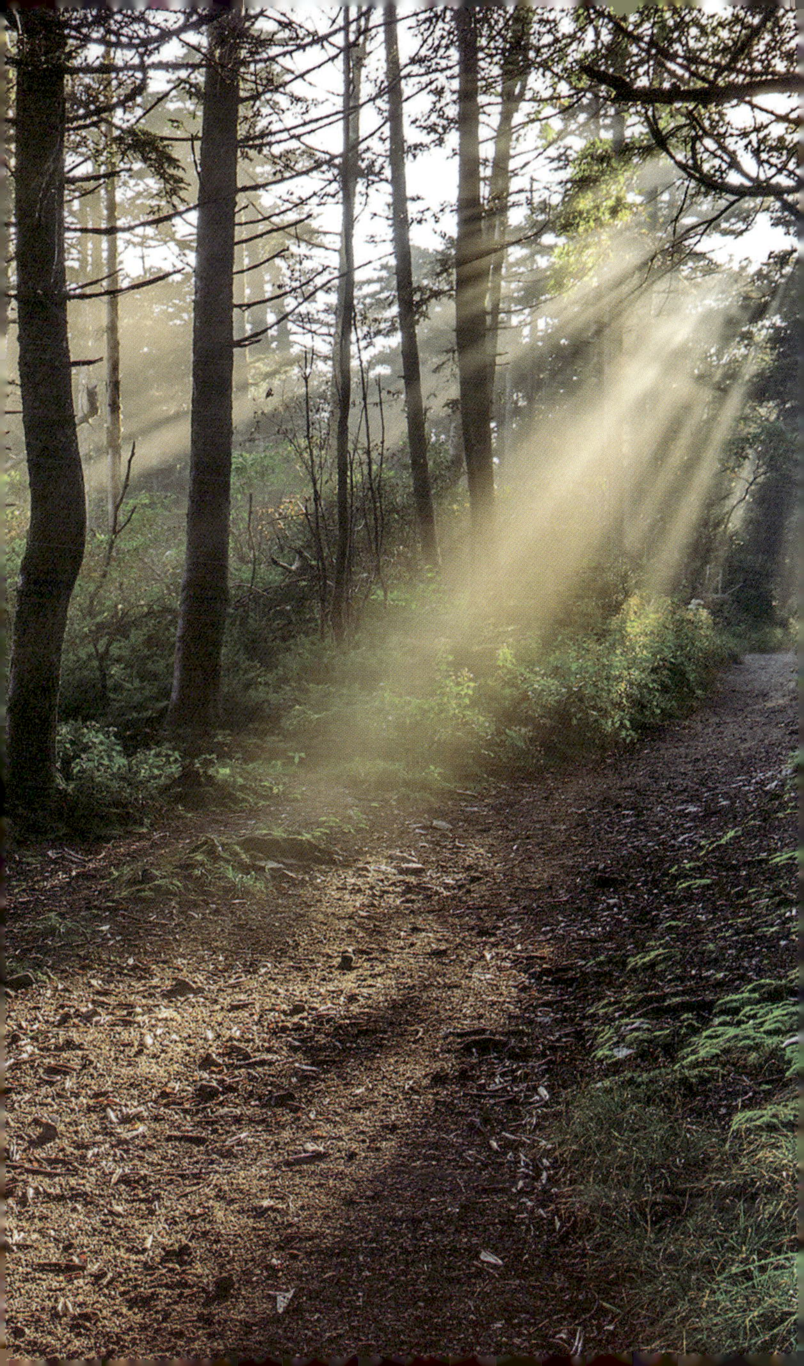

## 31

*B*OM DIA, ESPÍRITO SANTO,
paciência nas angústias.
O meu nervosismo e a agitação do
dia-a-dia fazem que eu não exercite o
dom da paciência, da espera
confiante. Muitas vezes minha
impaciência faz que eu magoe
aqueles que estão a minha volta.
Seja, Senhor, o meu auxílio nos
momentos em que eu me deixar levar
pela impaciência, para que eu possa
discernir melhor todas as situações
que a vida me impõe, e para melhor
compreender o meu próximo.

Vinde, Espírito de Paciência.

*"O que é paciente governa-se com muita prudência"* (Pr 14,29)

*"De manhã me porei na
tua presença e contemplarei"*
(Sl 5,4)

# Fortaleça sua fé com as Novenas da Editora Santuário

## Novena das Mães

Os filhos não precisam só do cuidado e da ternura das mães, eles precisam principalmente de suas orações e de seu amparo espiritual. Por meio das meditações dessa novena, as mães recorrem diretamente a Deus e ao coração materno de Maria, conforme as necessidades de seus filhos.

## Novena das Almas

Uma novena que convida a rezar pelo descanso eterno dos falecidos. São nove dias em profunda oração, cada um com uma invocação especial dirigida a Deus ou a algum dos santos da Igreja.

**0800 016 0004**
editorasantuario.com.br

Editora Santuário

# Coleção
# O poder da Oração

A coleção reúne os maiores mestres espirituais de todos os tempos, em uma seleção de orações que vão aproximar você do Espírito Santo e de todas as graças oferecidas por Deus Todo-Poderoso.

**0800 016 0004**
editorasantuario.com.br

Editora SANTUÁRIO